P9-DBS-427

VA, VIS ET DEVIENS

RADU MIHAILEANU
ALAIN DUGRAND

VA, VIS ET DEVIENS

roman

BERNARD GRASSET
PARIS

ISBN : 978-2-246-67101-5

Remerciements

« J'ai rencontré un juif éthiopien dans le cadre d'un Festival du Film à Los Angeles. Il m'a raconté son épopée et celle de son peuple : son voyage à pied jusqu'au Soudan où les Juifs étaient en danger de mort, la vie dans les camps de réfugiés, l'émigration en Israël... Cette aventure m'a profondément troublé. Non seulement parce qu'elle est trop peu connue, mais aussi parce qu'elle résonnait de manière particulière à mes oreilles de déraciné. Sans ce premier témoin capital, ce sujet ne m'aurait pas pris par la main et invité au voyage : qu'il en soit ici remercié. Je me suis ensuite nourri de tout ce qui avait été publié sur les Falashas pour alimenter mon émotion, mon désir de mieux connaître cette odyssée et mon envie d'y consacrer des années de ma vie. Avec mon co-scénariste Alain-Michel Blanc, nous nous sommes beaucoup documentés et avons été amenés à rencontrer de très nombreux acteurs de cette "Opération Moïse". De cette démarche commune est né le scénario de *Va, vis et deviens*, récompensé par le Prix du meilleur scénario. Je suis très reconnaissant à Alain-Michel Blanc de m'avoir accompagné sur le chemin de cette première aventure, à partir de laquelle ont pu se développer deux projets complémentaires : le film que j'ai réalisé sous le même titre en 2005, et le livre que le lecteur tient entre ses mains, écrit avec l'aide et la complicité d'Alain Dugrand. Un grand merci à Nicky et Jean-Claude Fasquelle, qui m'ont encouragé à écrire ce livre. L'amitié que je leur porte ne rend que plus intense la gratitude que je tiens à leur exprimer ici. »

R. M.

« Je vous ai portés sur les ailes d'un grand aigle
Pour vous faire venir vers Moi... »

La Genèse

« C'est ainsi, je n'ai rien oublié.

"Va, vis et deviens..." Tes paroles ont nourri ma peine et mes espoirs. "Va, vis et deviens!" J'ai respecté ton souhait : je n'ai cessé de devenir, de vivre ce serment à tous les instants de mon existence, pas après pas, pour toi. Je ne sais si j'ai réussi, maman, mais je suis devenu un homme dans ce monde. Je suis allé, j'ai vécu. Que la grâce ne t'abandonne jamais.

Chaque nuit, je lisais ton regard sur la peau de la lune, ton visage, la forme de tes yeux.

Je suis parti dans la crainte et la douleur, mais j'ai vécu. Je suis devenu. »

Prologue

L'Opération Moïse

On les avait oubliés en haut de leur montagne, là-bas, près de Gondar... Pourtant, depuis la nuit des temps, les Falashas, les juifs d'Ethiopie, ces lointains descendants de Salomon et de la reine de Saba, n'avaient qu'un projet : partir pour Jérusalem, leur Terre sainte.

En ces années quatre-vingt, ils n'étaient plus que quarante mille à vivre, disséminés sur les plateaux gras de l'Ouest éthiopien, autour des villes de Gondar et d'Ambober, au nord du lac Tana, là où le Nil Bleu prend sa source, ou encore dans la province du Tigré, au nord de l'Ethiopie, et à Addis-Abeba, la capitale.

Quand l'empire chrétien de Gondar était à son apogée, au XVIIe siècle, les voyageurs érudits estimaient que l'Ethiopie comptait un million de ces juifs.

En langue amharique, *falasha* signifie « étranger », ou encore « celui qui ne possède pas la terre ». Tout comme les juifs de l'Europe de l'Est, ceux d'Ethiopie ont été considérés longtemps comme étrangers chez eux, ainsi s'étaient-ils soumis à l'interdit de posséder la moindre parcelle de terre. Pour eux, « falasha » est une appellation péjorative. Juifs noirs, ils usent de l'expression *Beta Israel*, la « Maison d'Israël », pour se définir. Ils constituent une ethnie, ils partagent une vision du monde, une même foi, ils forment un peuple unique, ils sont à la fois noirs et juifs. Les seuls juifs parmi les noirs d'Afrique, les seuls noirs parmi les juifs du monde.

Grâce à Israël et aux Etats-Unis, une incroyable opération est lancée de novembre 1984 à janvier 1985, pour emmener les juifs éthiopiens vers Israël. Leur statut longtemps controversé de descendants du roi Salomon et de la reine de Saba est enfin reconnu par les autorités rabbiniques de Jérusalem. Les Falashas sont rapatriés.

L'opération, clandestine, est conduite par le Mossad, qui rassemble les fameux services secrets israéliens. Des messagers venus d'Israël pénètrent les montagnes de Gondar pour la préparer. Ces Falashas de l'étranger, devenus citoyens israéliens, seront arrêtés, torturés, exécutés dans les prisons éthiopiennes, quand ils seront découverts. Mais beaucoup parviennent tout de même à rejoindre les villages où vivent les leurs. La bonne nouvelle se répand aux abords du lac Tana, dans toutes les provinces où vivent les Beta Israel : « Il est temps que tout le peuple se mette en marche pour Jérusalem ! » Signal de Dieu longtemps espéré, la nouvelle se diffuse par ouï-dire. Le lieu de rassemblement des Falashas est vague, les dates aussi. Il se dit d'abord que les Beta Israel doivent gagner le Soudan. Mais comment faire, comment et où rejoindre la frontière, quand partir ? Beaucoup s'en vont vers le Kenya, la Somalie. On ne les reverra jamais. Pourtant, un fol espoir est né : la Terre promise !

A l'insu du régime prosoviétique de Mengistu, qui leur interdisait d'émigrer, les Falashas quittent l'Ethiopie ; depuis leur montagne ils se rendent à pied vers les camps du Soudan, une terre musulmane régie par la charia. Ils quittent les villages ancestraux, leurs petites synagogues si peu orthodoxes, ils voyagent de nuit, se dissimulent le jour, par milliers, à pied. Des parents confient leurs enfants à leurs tantes, aux oncles, aux cousins. Ceux-là préfèrent rester sur place pour protéger, surveiller leur maison et celles des leurs. Ils prévoient de partir plus tard, quand la parentèle émigrée les appellera à Jérusalem.

Les jeunes, de quinze à dix-huit ans, fuient l'Ethiopie pour échapper à l'armée, à la guerre sans pitié que le régime de Mengistu mène contre le Tigré et l'Erythrée, deux provinces séparatistes. Ceux qui abandonnent leurs maisons emportent avec eux leur maigre fortune, mais surtout les livres, les objets du culte. Ils vendent tout ce qu'ils ont pour payer des guides qui les achemineront jusqu'à la frontière du Soudan, où, pensent-ils, les agents israéliens les attendront...

C'est une longue marche, harassante, tragique. Ils sont trahis, attaqués par leurs propres guides, rackettés sans pitié. On leur réclame sans cesse de l'argent, ils sont décimés par des brigands qui les dépouillent de leurs bijoux traditionnels. Des femmes, des enfants sont kidnappés, vendus comme esclaves, des centaines d'autres périssent de maladie, de faim, d'épuisement. Sur les routes de l'exode, ces gens pieux meurent d'être contraints par leurs guides de marcher le jour du shabbat. Nombreux sont ceux qui refusent de s'infliger le tribut d'être irrespectueux à l'égard de Dieu. Certains se donnent la mort, incapables de dissimuler plus longtemps leur judaïté.

Sous l'autorité des « Qès », les rabbins, leurs chefs spirituels, les Beta Israel avancent, malgré les épreuves et les morts. Ces souffrances incommensurables ont un sens pour eux, c'est le prix à payer pour l'*alya*, leur « montée » en Israël. Là-bas, la vie sera paisible, pacifiée, un paradis. « Personne ne travaille à Jérusalem, disent-ils, il y a partout de l'or, et les rivières de miel coulent, il n'est qu'à ouvrir la main. Ne désespérez pas, Dieu nous soutient, les nuages nous accompagnent depuis le premier jour, ils nous protègent comme aux temps bibliques. » Ils enterrent clandestinement leurs morts sur la route, sans respecter la tradition à la lettre. Pas une seule pierre, pas une inscription sur les monticules, les Falashas ne doivent laisser aucune trace de leur passage. Ces obstinés progressent vers le Soudan.

Ils ignorent que le gouvernement de Khartoum a négocié un arrangement secret avec les Américains : contre un « don » de 250 millions de dollars, les autorités soudanaises ont accepté de laisser les Falashas se rassembler dans le sud du pays. Là, réunis dans des camps de transit, ils sont contraints de dissimuler leur identité juive, sous peine d'en mourir. Apparaître comme juif dans un camp soudanais, en terre d'Islam, c'est risquer le pire.

Au passage de la frontière entre l'Ethiopie et le Soudan, les communautés juives et noires sont prises en charge par les agents israéliens du Mossad. Telle est la clause de l'accord entre les gouvernements. Leurs sauveurs ont pour tâche de les acheminer vers les camps de regroupement. Pourtant, des commandos soudanais les rançonnent, leur extorquant leurs derniers biens. Beaucoup de Falashas sont traités cruellement par les hommes de troupe qui sont mal informés, ou qui contestent le pacte officieux conclu entre les généraux de Khartoum et les Occidentaux. Le plus souvent, les Falashas sont livrés à l'armée éthiopienne, aussitôt détenus, accusés de trahison. « Espions sionistes », ils sont torturés, puis éliminés.

Dans les camps du Soudan, les Falashas attendent des mois avant d'être acheminés vers Israël. Certains d'entre eux y resteront près de neuf ans... Les plus fragiles meurent continûment dans ces bidonvilles de la fin du monde. Il y a ceux qui refusent les traitements, les médicaments, la nourriture des médecins volontaires de l'aide humanitaire, des blancs pour la plupart. Les juifs noirs détruisent les aliments en cachette, car ils les soupçonnent d'être empoisonnés ou de ne pas être cachère. La nuit, au plus loin du camp, ils enterrent leurs morts dans le désert, sommairement. Ils doivent bafouer leurs traditions. Les traces des inhumations sont effacées. Lors du shabbat, appliquant la règle du jour de repos des juifs inscrite dans la Thora, ils refusent de travailler, de toucher à l'argent, aux quelques pièces de monnaie qu'ils possèdent. Ils refusent d'allumer les feux pour réchauffer les aliments. Ils se désignent ainsi comme juifs dans les camps géants où cohabitent des milliers de réfugiés chrétiens et musulmans. Leurs chaperons du Mossad réclament aux Beta Israel de dissimuler leur identité pour qu'au moins les gardiens soudanais ne les repèrent pas. Les Israéliens invoquent le Talmud, le livre des commentaires de l'Ancien Testament, où il est écrit que lorsque la vie ou la santé sont en danger, on peut transgresser la Loi. Les Qès et les juifs éthiopiens refusent : ils ne connaissent pas ce texte... Effectivement, les

Talmud de Babylone et de Jérusalem avaient été écrits après la genèse de ce peuple... Ces textes ne sont jamais parvenus jusqu'à eux, isolés dans la Corne de l'Afrique. Certains se suicident même, préférant la mort plutôt que de déroger à la stricte observance de leurs rites.

Très loin des camps, à Khartoum, la capitale du Soudan, des avions atterrissent et décollent aussitôt pour transporter les Falashas en Israël. A raison d'un vol par nuit, excepté le vendredi soir, après l'apparition de la première étoile qui ouvre le shabbat. Les appareils de la compagnie belge TEA, un Airbus A 320 et un Boeing 707, tracent dans les cieux les plus belles pages de l'histoire du peuple noir de l'Ancien Testament.

Il était écrit dans les textes qu'ils reviendraient en Terre sainte sur les ailes d'un grand aigle...

Le Soudan, Etat membre de la Ligue arabe, ouvrait donc son territoire, mais il était inconcevable que le régime du général Nemeyri, fondé sur la loi de la charia, ait pu négocier avec l'Etat hébreu à l'insu des pays frères musulmans.

Des négociations se déroulèrent donc dans l'ombre dès 1984, grâce à l'intermédiaire des Etats Unis. La légende prétend même que pas une seule fois les diplomates soudanais ne virent leurs homologues israéliens ou n'échangèrent directement avec eux. Le 7 juillet 1984, lorsque l'accord secret fut finalisé dans un grand hôtel de Genève, il se dit que la délégation soudanaise refusa de rencontrer la délégation israélienne. Les diplomates américains firent donc la navette entre les deux suites du même étage de l'hôtel.

A Genève, ce 7 juillet 1984, alors qu'ils reçoivent de Richard Kriger et Howard Eugene Douglas Jr, tous deux membres du département d'Etat, l'accord du régime de Khartoum, les diplomates israéliens découvrent les conditions imposées par le régime Nemeyri : jamais aucun des appareils de la Trans European Airlines ne pourra effectuer le vol direct Soudan-Israël. Les vols de « l'Opération Moïse » pour Tel-Aviv devront impérativement effectuer une escale en Europe.

Le Mossad israélien devra user discrètement du tarmac de la capitale du Soudan, car les oppositions soudanaises, animées essentiellement par les Frères musulmans « en guerre » contre le régime Nemeyri, auraient été trop contentes de « démasquer » ce gouvernement coupable de collaborer avec les « sionistes ». Une telle aubaine leur aurait permis de rallier les régimes arabes à leur cause pour renverser les félons de Khartoum...

C'est alors que les services secrets israéliens contactent une compagnie belge, animée par un juif pratiquant, Georges Gutelman. Les avions de celui-ci ont depuis des années l'habitude d'acheminer les musulmans du Soudan au pèlerinage annuel de La Mecque. Qu'il soit militaire ou civil, chaque Soudanais est un familier de cette compagnie belge. Aussi la présence des appareils de la TEA sur les pistes de l'aéroport de Khartoum ne surprendra personne... Bien entendu, l'opinion publique du pays ignore que le président-directeur général de la compagnie belge est juif !

Georges Gutelman est vite convaincu par le Mossad : il met ses appareils à disposition, au risque de voir sa société perdre le marché du pèlerinage. Ainsi s'expose-t-il à la faillite si d'aventure le sens réel de « l'Opération Moïse » était éventé.

Tous les vols de la TEA qui décolleront de la capitale soudanaise entre le 21 novembre 1984 et le 6 janvier 1985 feront escale à Bruxelles, avant de se poser en Terre sainte...

En ces années quatre-vingt, des milliers d'Africains de vingt-six pays frappés par la sécheresse, la famine et la guerre vivent la même précarité dans les camps soudanais. Ils sont chrétiens, musulmans et juifs.

Lors d'un premier pont aérien, baptisé « Opération Moïse », huit mille juifs éthiopiens seront sauvés, mais quatre mille auront été enterrés entre l'Ethiopie et le Soudan. Assassinés, anéantis par la faim, la soif ou l'épuisement. Des milliers d'orphelins s'envoleront donc seuls pour la Terre promise.

Plus que toutes les communautés de la Diaspora, les Falashas accomplissent une douloureuse « sortie d'Egypte », un acte majeur d'allégeance à Israël, dont ils se réclament depuis des siècles.

Va

1

Le dernier souffle de Salomon

Um Raquba, un point sur la carte du Sud-Soudan, quatre-vingt mille « habitants » dans ce camp de transit, êtres en haillons, à demi nus, efflanqués. « Camp de réfugiés », mouroir parmi tant d'autres sur la terre en ce XXe siècle. Ici, ils sont des milliers à attendre on ne sait quoi, puisque même l'espoir apparaît vain. Le médecin disposera-t-il de nouveaux médicaments ? Y aura-t-il de l'eau demain, quelque chose à manger, verra-t-on apparaître le camion bâché estampillé d'un logo colorié, tracé dans les signes d'une langue lointaine qu'aucun de ceux qui ont faim ne sait lire ici ? La clémence des éléments viendra-t-elle enfin ? La compassion survivra-t-elle à ce désastre ? Ces questions hantent les réfugiés amassés dans ce campement ocre terne du désert.

Um Raquba, à quatre-vingts kilomètres au sud de Gedaref. Un océan de lambeaux de plastique, de toiles et de tissus qui furent multicolores, désormais délavés par le soleil assassin. Des tentes blanches autrefois, ou alors kaki, venues des stocks des armées du monde, des faisceaux de branches dressées comme des doigts rabougris, des reliefs de nattes, de châlits tissés, poussiéreux, acheminés depuis si longtemps par l'aide internationale d'urgence.

Des infirmières, des médecins américains, canadiens, français, belges se démènent sur cette vastitude à partir de leur clinique de base, un poste sanitaire constitué de quatre tentes immenses, une île de raison, où les témoins humanitaires de l'apocalypse soignent et sauvent. Les enfants meurent, car ils ne résistent guère aux maladies endémiques, à l'épidémie de rougeole qui, par exemple, s'est déclarée voilà deux mois. La faim rôde. Selon les critères du Haut-Commissariat aux réfugiés, la ration alimentaire quotidienne nécessaire à la survie d'un être humain se compose d'une livre de farine au moins et d'une cuiller de lait en poudre. Au camp d'Um Raquba, l'existence s'étiole... Les fonctionnaires soudanais qui gèrent ce « camp de transit » au nom de la communauté internationale administrent gens, biens et choses selon leurs coutumes : bureaucratie, rétention des stocks de céréales de l'aide mondiale et, bien sûr, corruption. Plus la misère est vaste, plus l'essentiel atteint le prix de l'or. L'eau ne manque pas, mais à cause de plusieurs saisons de sécheresse, l'étiage des mares est au plus bas, les chameaux s'abreuvent aux marécages boueux, les êtres humains aussi, malgré les carcasses d'animaux crevés qui s'y décomposent. Contre de l'argent, à l'aide de boîtes de lait vides, de jeunes hommes transvasent le liquide infect dans des barils qui répandent partout les germes de la dysenterie. Mais la mort est-elle le pire des maux sous les cieux du Soudan misérable, où des milliers attendent que la canicule cède, ils l'espèrent tous, avec la saison des pluies ?

Le crépuscule approche. Il ombre déjà de parme le blanc plombé du ciel, une lune colossale s'élève sur le vaste grouillement muet. A l'est, des falaises rouille virent au violet, dans moins de deux heures la nuit africaine s'abattra d'un coup. Le froid meurtrira les corps alors, glacera le sable sous le pas.

Le silence s'efface à mesure que gagne l'obscurité. Les gorges asséchées s'enflamment, des quintes de toux, des raclements semblent se répondre dans l'enfer lugubre d'Um Raquba, où la nuit est pire que le jour.

Worknesh l'Ethiopienne n'est âgée que de vingt-cinq ans, mais ses traits sont ceux d'une vieille femme. Depuis son village de Weleka, près de Gondar, les pistes de l'exode par les montagnes et les déserts lui ont pris son mari, sa petite fille, un fils et sa propre jeunesse, consumée par cinq semaines d'une marche exténuante, douloureuse. Un calvaire. Jérusalem, le prix d'un rêve fou. Qu'importent les rides, depuis deux années Worknesh survit au camp, et ses yeux n'auront jamais plus le goût d'effleurer la surface d'un miroir. Worknesh tousse. A mourir. Assise en tailleur dans un creux de sable, abritée seulement d'un relief de bâche jaunâtre, ce qui reste d'une tente de la Croix-Rouge, elle couvre le visage de son fils, dernier survivant des siens, du pli de sa *shämma*, la toge des paysans de Gondar. Salomon, huit ans, se meurt. Sa tempe est si brûlante que Worknesh hurlerait si elle le pouvait encore. Mais elle se contraint, elle résiste. Elle ne parvient pas à soumettre le feu dans sa gorge, les toux sanglantes qu'elle voudrait réprimer.

Le médecin blanc s'approche, elle ne dit pas un mot, ne risque pas un geste : elle craint tant son verdict. A-t-il compris que Salomon est tout ce qu'il lui reste au monde ? Elle guette le regard du blanc, elle aimerait l'implorer, mais elle n'ose pas.

Le docteur aux lunettes d'acier s'agenouille auprès de la femme falasha. Il lui parle, car il connaît sa langue, l'amharique. Mais à quoi bon, la tragédie de Worknesh n'a pas besoin de mots, elle n'a plus de langue. Le médecin français murmure, Worknesh comprend que son enfant s'en va. Elle s'enferme, elle doit cacher son désespoir.

Le médecin abaisse les paupières du petit, saisit

les fins doigts de Worknesh, qu'il conserve longtemps dans ses mains.

Worknesh voudrait hurler. Sa dernière raison de vivre l'abandonne, mais elle ne pleure pas, son visage de marbre est impassible, elle n'émet pas le moindre son. On ne fléchit pas devant un étranger. Elle cadenasse sa peine. Ses yeux la portent au loin, vers ce néant qui absorbera la dépouille de son enfant.

A quelques pas, sous une tente contiguë, une Ethiopienne aussi faible qu'elle a observé la tragédie. Son visage est recouvert d'un léger voile de coton qui la protège des sables soulevés par les vents rasants. Il laisse entrevoir un regard intense, désespéré, saigné par autant d'épreuves. Mais, tout comme Worknesh, son attitude, le corps droit, la tête haute, le visage ferme ne trahissent pas la peine. Aussi digne, elle ne se plaint de rien. Dans son regard, la détermination, et rien d'autre.

L'Ethiopienne s'appelle Kidane, elle est chrétienne, elle a vingt-huit ans, pas plus, mais elle aussi en paraît cinquante. Ses yeux ne cessent de fixer Worknesh, la juive, et son enfant, mort dans ses bras. Une voix la tire de son absence :

— Mange, maman, mange...

Kidane se tourne vers son fils, assis tout près d'elle. Il a neuf ans, et il pioche son riz dans un bol métallique. Il ne cesse d'observer sa mère en coin, tandis que de sa main libre il chasse, prévenant, les insectes qui bourdonnent autour de la ration de Kidane. Elle dit qu'elle n'a pas d'appétit. Elle lui tend son propre bol, d'autorité, sans même lui accorder un regard : son attention est tout entière portée sur Worknesh.

C'est ainsi. Les juifs noirs se connaissent, ils se sont même regroupés dans cet entassement. Eux seuls savent qui est qui, à quel village appartient celui-ci ou tel autre. Des générations dont ils sont les héritiers ils savent la prudence, leur unique bouclier contre l'intolérance.

A Um Raquba, ils se sont rassemblés discrètement, à la lisière des dernières tentes, à l'ouest. Les consignes sont strictes : ils doivent inhumer les leurs loin du camp, la nuit, et surtout effacer toutes les traces, tous les signes indiquant que dans cette terre sableuse repose un fils ou une fille d'Israël.

Dans la nuit claire, Kidane a suivi, furtive, le cortège funèbre. Elle s'est dissimulée dans les rochers, elle s'est cachée dans l'amas des blocs qui meurtrissent ses pieds nus. Elle ne quitte pas du regard les éplorés qui gravissent la pente, vers le sommet de la colline. Les lueurs répandues par la lune sont si vives qu'elles absorbent la luminescence des étoiles. Kidane observe le mouvement du groupe. Elle discerne les aides du Qès qui creusent la fosse dans le sable à mains nues. L'un, à mi-taille, reçoit le linceul de l'enfant. Kidane s'est cachée. Elle aperçoit Worknesh qui se débat, tente de rejoindre le corps de son fils reposant dans la fosse, mais le Qès et le médecin français l'en empêchent. Worknesh hurle. Toute retenue l'abandonne, elle n'a plus la force de rester digne, elle chancelle.

Les hommes se balancent d'avant en arrière, psalmodiant le *kaddish*, la prière des morts. Le médecin prie en hébreu, les Ethiopiens en guèze, la langue des ancêtres de la reine de Saba.

Le silence envahit Worknesh comme la mort. Son visage est sec, jamais les larmes ne mouilleront plus ses yeux pour le temps qu'il lui reste à vivre. La sécheresse qui s'est abattue sur l'Afrique depuis tant d'années a non seulement brûlé les hommes, mais consumé les cœurs.

Dans sa cachette, Kidane la chrétienne se signe. Elle baisse la tête, effleure la croix du Christ qu'elle porte à son cou, et elle prie. Puis elle regagne le camp, furtive.

Les prières s'achèvent. Le Qès, coiffé du turban traditionnel, enroulé dans sa toge, et le médecin soutiennent la jeune désespérée, tandis que l'assistance descend, maladroite, la colline pentue.

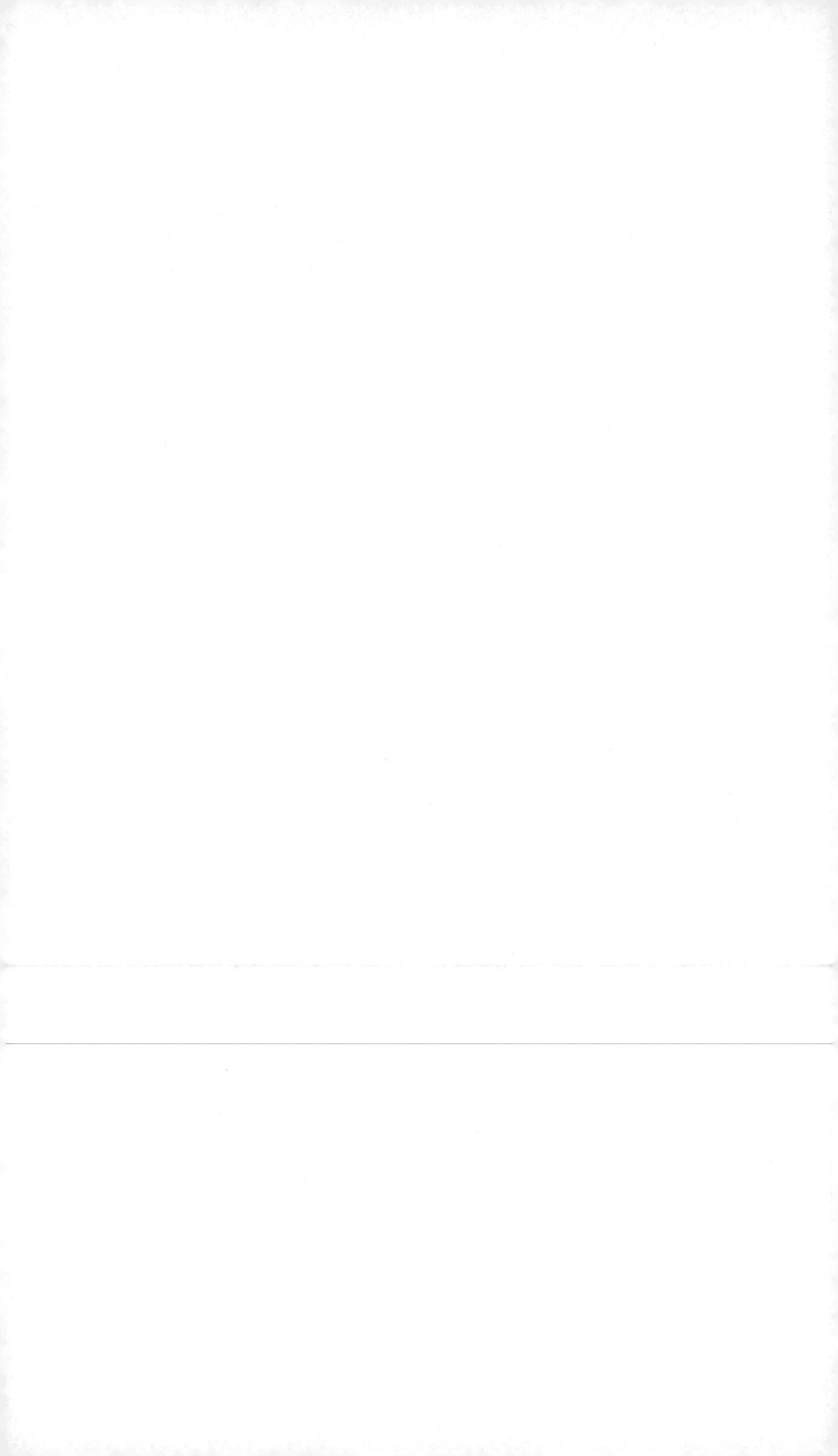

2

La mère promise

Au cœur de la nuit. Des camions bâchés surgissent au débouché de la piste, à la queue leu leu. Ils s'alignent, flanc à flanc, moteurs au ralenti, en un vaste demi-cercle. Les chauffeurs ont disposé les véhicules de telle manière que les faisceaux des phares s'entrecroisent pour former une nappe de lumière sur un espace grand comme un terrain de sport. Une intense agitation se manifeste en lisière du camp d'Um Raquba. On distingue des uniformes soudanais, des kalachnikovs dans le halo des véhicules, mais pas un seul cri dans ce capharnaüm, sinon des paroles prudentes, réprimées, comme s'il fallait à tout prix dissimuler l'effervescence. Les Soudanais armés, à bonne distance, encadrent les véhicules en ligne. Les ombres se pressent, silencieuses.

Parmi les étrangers arrivés de nulle part, il y a quelques Falashas israéliens, des médecins en civil. Emigrés vers la Terre promise en 1956, ils ont été formés par les services spéciaux de l'Etat juif pour « exfiltrer » les Beta Israel des camps soudanais. Ce sont eux les messagers de « l'Opération Moïse » qui ont pris tous les risques : ils sont entrés, voyageurs clandestins, dans l'Ethiopie de Mengistu pour prévenir les Beta Israel qu'il était temps de s'acheminer vers le Soudan. On pourrait croire à un désordre, mais non, chaussés de rangers, les hommes vêtus de couleur sable organisent et ordonnent le mouvement de ce pauvre monde en haillons. Des responsables vérifient l'identité des réfugiés qui ont été prévenus discrètement de leur départ nocturne, il y a quelques heures à peine. Professionnels, ils regroupent sans ménagement les hommes et les femmes en files silencieuses.

Worknesh est maintenant seule au monde. Tous les siens reposent sous les enrochements abandonnés sur les pistes de l'exode.

Elle quitte l'obscurité, soutenue par le Français aux lunettes, dont la blouse est ornée de l'inscription « Médecins du monde ». Il accompagne la jeune femme chancelante afin qu'elle prenne place dans le cortège des partants.

Sous la tente, Kidane, attentive, suit toute cette agitation. Elle sait bien que les Falashas s'apprêtent au départ. Pour où ? Pourquoi eux seulement ? Elle l'ignore. Alors, soudain, elle dénoue son fichu, ôte le mince cordon de cuir et la petite pierre verte, accrochée à son cou. Une autre pierre, taillée, semblable, repose sur sa poitrine osseuse.

Il ne s'agit pas d'une intuition. Comme ceux qui n'ont rien à perdre, Kidane s'est décidée depuis le matin. Elle se redresse et s'éclipse, souple, vers une tente collective. Une centaine de personnes sont étendues sur des tapis de raphia. Dans une pénombre trouée seulement par la lueur blafarde de la lune, elle cherche son fils parmi les dormeurs serrés les uns contre les autres pour se garder du froid. Kidane trouve son enfant. Elle s'accroupit, elle le secoue doucement :

— Réveille-toi...

Tiré du sommeil profond, le gosse, apeuré, dévisage sa mère. Kidane l'emmène au-dehors de la tente, sans prononcer un seul mot. Alors, l'enfant entend les moteurs qui ronronnent. Il ne comprend pas ce que des camions font là, et pourquoi sa mère l'a réveillé. Est-ce un arrivage de nourriture, de nuit ? Kidane attend-elle de lui qu'il s'y précipite, qu'il aille se bagarrer pour obtenir une mesure de riz, un bol de farine ? L'enfant veut se recoucher, mais Kidane lui montre les camions et les faisceaux des phares.

— Va-t'en ! ordonne-t-elle.

L'enfant s'est figé. Il est réveillé, tout d'un coup. Il hésite à comprendre, il ne peut pas croire... Sa mère semble tellement déterminée. Il hoche la tête, timide, il refuse, timide. Ses yeux implorent, mais Kidane ordonne :

— Va !

L'enfant pleure. Sans prononcer un mot, il s'agrippe à sa mère de toutes ses forces, il l'entoure de ses petits bras, il ne la lâchera jamais. Ses ongles s'enfoncent dans le tissu de laine du *shämma* de Kidane. Surprise, la mère semble flancher, elle hésite à son tour, elle sent la chaleur de son enfant. Mais elle reprend vite ses esprits, elle s'écarte, résolue, puis elle gifle ce visage qu'elle a tant de fois embrassé. Elle ordonne :

— Ne pleure pas. Va ! Va, vis et deviens ! Et ne reviens pas, ne reviens pas avant...

L'enfant se rend, il ne s'agrippe plus, il sait que sa mère a décidé de son sort. Kidane passe alors le cordon de cuir et la pierre autour du cou du fils, et elle le pousse vers la lumière. Il hésite encore, la regarde une dernière fois, puis il se détourne d'elle, et il s'éloigne, lent, craintif.

Il s'arrête à la hauteur d'une femme seule qui attend, à sa place, dans la file de ceux qui s'apprêtent à quitter le camp... L'enfant se retourne, il cherche sa mère, il l'aperçoit, elle acquiesce d'un hochement de tête. La petite main du gosse se glisse dans celle de Worknesh. Il a baissé le visage, comme s'il était coupable. Worknesh l'observe, surprise, puis, cherchant une explication, elle rencontre les yeux de Kidane dans le clair-obscur. Worknesh a compris... Ses yeux s'accrochent à ceux de la chrétienne qui s'avance à la lisière de la pénombre. Entre ces femmes, deux mères, se joue une seule vie. Aucune d'elles ne tente un mot, aucune n'esquisse le moindre signe, tandis que le garçon, malgré lui, abandonne l'une pour l'autre.

La colonne des juifs noirs progresse jusqu'à la hauteur d'un Falasha vêtu à l'occidentale. Celui-ci s'exprime parfaitement en amharique. Worknesh et l'enfant s'approchent de lui.

— Worknesh, c'est ton enfant? N'est-il pas mort ce matin?

L'enfant lève les yeux vers la femme, il est inquiet. Elle presse sa main plus fort, puis elle s'emporte presque :

— C'est mon enfant!

Le médecin français s'approche alors du Falasha israélien :

— C'est bien son fils, il s'appelle... Salomon. Les antibiotiques l'ont sauvé, il peut voyager sans problème, il est tiré d'affaires maintenant.

L'homme les laisse passer.

Ils se dirigent tous deux vers le camion qu'on leur désigne. Le gamin avance, à contrecœur. Il se retourne, il fouille l'obscurité des yeux, mais en vain. Des larmes coulent, Worknesh le houspille, ferme :

— Un homme, ça ne pleure pas!

Puis elle le saisit par le col de ses nippes, s'assurant que personne n'a remarqué le chagrin de l'enfant. Les autres, les femmes, les vieillards, les gosses, sont si heureux de quitter l'enfer pour rejoindre le pays de leurs rêves. Le médecin rattrape la femme à l'enfant. Il s'agenouille près du petit :

— Sèche tes yeux, bonhomme... Tu vas voir, tu vas grimper dans un grand oiseau d'acier. Ne pleure pas, tu n'as rien à craindre. Tiens, c'est pour toi...

Il lui tend quelques bonbons dans un sachet :

— La vie n'est pas un paquet de bonbons, mais crois-moi, aujourd'hui est ton jour de chance. Bon vol, mon enfant.

En professionnels, sans échanger une seule parole, des hommes couleur sable hissent les réfugiés sur le plateau des camions. Les Falashas les plus valides grimpent seuls, mais leurs vieux sont portés par des civils.

Hommes et femmes s'agrippent aux ridelles du camion, tandis que le chauffeur manœuvre le véhicule au mieux pour désensabler les pneus. Worknesh enveloppe le petit dans sa toge. Le gamin scrute la nappe lumineuse, à la lisière du camp. Il aperçoit enfin la silhouette voilée dans la clarté jaune des phares d'un lourd camion. Droite comme une statue, la forme s'éclipse aussitôt dans les tourbillons de poussière et l'obscurité à laquelle l'abandonne la lueur des phares. L'enfant supplie en lui-même pour qu'une seconde encore, un tout petit instant, les phares du dernier camion balaient le virage, mais sa prière est vaine. L'horizon est obscurci par la fumée des moteurs et le sable soulevé par les véhicules. Alors, l'enfant glisse sa main sur sa peau et serre fort la pierre polie : « Fais une magie, petite pierre, rends-moi maman. »

Le camion ronronne, il file à plein régime, ses pinceaux lumineux révèlent, puis effacent les entassements de rocs, les arbres morts, et parfois une falaise laiteuse. Les passagers s'arc-boutent, ils se retiennent comme ils peuvent, agrippés les uns aux autres, serrés sur le plateau. Une fillette souffle :

— Quand nous arriverons en Terre sainte, nous deviendrons tous blancs, maman ?

— Oui, mon amour. A Jérusalem, les rivières sont de lait sous les oliviers, c'est le paradis sur la Terre...

Escorté de jeeps de l'armée soudanaise, le camion pénètre dans l'enceinte de l'aéroport de Khartoum, en direction de la base militaire. Des soldats, nombreux, encadrent le convoi des camions, moteurs à l'arrêt. Les phares à iode de la base aéroportée sont occultés. Au sol, l'ambiance est tendue, quand, soudain, une silhouette métallique se profile dans la nuit. Un Boeing 707, blanc et bleu, majestueux comme un sphinx, attend sur la piste bétonnée. Les Ethiopiens sont stupéfaits, leurs yeux s'écarquillent : le voilà donc, l'oiseau décrit dans leurs anciens Livres, l'oiseau d'acier dont ils ont tant rêvé depuis des siècles ! Combien de fois les Qès avaient-ils rappelé cet extrait de la Genèse : *« ... Je vous ai portés sur les ailes d'un grand aigle pour vous faire venir vers Moi. »* C'était cela, le grand oiseau. Était-il là depuis toujours ?

Aidés, soutenus par des accompagnateurs, les Falashas escaladent la rampe, ils s'agrippent les uns aux autres par leurs vêtements. Les agents spéciaux israéliens les pressent, ils ne disposent que de très peu de temps pour embarquer leur monde.

L'enfant est terrorisé à l'idée de se glisser dans ce ventre d'acier. L'avion est un monstre. Gravissant la passerelle, Worknesh le tire derrière elle. Tout en haut, sur la plate-forme, le gamin scrute le désert une dernière fois. Quelque part dans la nuit, un point l'attache à jamais. Le monstre avale l'enfant.

3

Sur les ailes d'un grand aigle

Assis près du hublot, l'enfant observe sa nouvelle mère. A côté de lui, elle mord un morceau de tissu en guise de mouchoir. Worknesh réprime les quintes qui meurtrissent sa gorge. Elle porte le linge à ses lèvres, et il rougit un peu plus chaque fois.

Dans la carlingue, infirmières et médecins israéliens n'ont pas une seconde de répit. Un gros quart des passagers, malades, affaiblis, a besoin d'une assistance médicale. Une clinique ambulante avait bien été prévue au fond de l'appareil, mais aucun des médecins responsables n'avait imaginé l'état de santé catastrophique des Beta Israel.

Worknesh s'endort. L'enfant se redresse sur son siège, et, par-dessus le dossier, découvre ses frères de voyage, vêtus de haillons comme lui. Pour la première fois, il ne les considère plus comme des étrangers : ceux-là sont les siens.

L'avion s'ébranle et roule sur la piste. Transi de crainte, l'enfant relève le volet de plastique qui obstrue le hublot, et il découvre, affolé, la terre qui se dérobe sous lui. Par réflexe, il pousse sur ses pieds, mais le plancher est toujours là. Il se rassure un peu, mais une douleur se réveille dans son aine, la même que celle qu'il éprouva après qu'un môme, au camp, lui avait lancé un coup de pied pour lui dérober un stylo bille, pourtant brisé.

L'enfant n'aura pas vu les lumières de Bruxelles, il dormait quand l'avion survola la capitale belge, aux alentours de minuit, après y avoir fait escale.

Quatre heures du matin. Le Boeing 707, tous phares allumés, entame les procédures d'approche de l'aéroport Ben Gourion de Tel-Aviv.

L'avion plane en douceur. L'enfant se réveille.

Le train de roues s'apprête à rencontrer le tarmac illuminé par les projecteurs des pistes. L'avion roule, lourd, il va se ranger lentement loin des bâtiments de l'aéroport international qui brille dans le lointain. Un pousseur mécanique s'approche, il installe la rampe de débarquement face à la portière avant de l'avion.

L'enfant entend décroître le bruit des moteurs. Il découvre et observe les visages émus. Il ne comprend pas. Les Falashas sont pétrifiés, comme s'ils attendaient un verdict. Ils fixent la porte avant de l'appareil, qui pivote enfin. Worknesh, les paupières closes, aspire l'air doux qui s'engouffre dans l'habitacle. L'enfant, lui, n'éprouve que la morsure du froid, l'hiver israélien n'est pas celui du Soudan...

Des juifs noirs israéliens pénètrent à bord de la cabine, ils invitent gentiment les Falashas à quitter l'avion.

En haut de la passerelle, les vieux, les jeunes sont enveloppés dans des couvertures chaudes. Hésitants, incrédules, malhabiles, aidés des civils, les premiers s'agrippent à la rambarde et, précautionneux, ils descendent les marches caoutchoutées, pas à pas. Ils sont curieux de l'univers qui les entoure. La Terre promise...

Au bas des marches, médecins et infirmières invitent les plus affaiblis à s'installer dans les ambulances, mais les juifs éthiopiens les repoussent.

Comme par réflexe, sans se concerter, ils s'agenouillent à même la piste cimentée, des châles de prières recouvrent les têtes et les épaules, et tous, longuement, ils embrassent la terre d'Israël. On entend des sanglots, joies et peines mêlées. Les employés israéliens, les mécaniciens d'approche, les chauffeurs d'autobus, les personnels de santé, tous enfin ont cessé de travailler. Ils observent, émus aux larmes, les dévotions des deux cent quatre-vingt-sept passagers noirs, enveloppés dans leurs *shämmas* tissés dans la laine écrue des pasteurs d'Ethiopie. Israéliens, ils ont le sentiment d'être face à leurs ancêtres ; Moïse et les siens, sortis droit de la Bible. Ils frappent alors dans leurs mains, et ils crient : « *Shalom! Baruch hachem!* Bénie soit votre arrivée ! », « *Bruhim Habaim!* Soyez les bienvenus ! »

L'enfant imite Worknesh, il s'agenouille et il baise le sol. Il observe à la dérobée, afin de reproduire les gestes exacts, et il remarque l'émotion des siens, celle, aussi vive, des autochtones, tous des hommes blancs...

Les valides grimpent dans des autobus aveugles, isolés de l'extérieur par de lourds rideaux qui occultent les vitres. En Israël même, « l'Opération Moïse » doit rester secrète. Aucun journaliste ne doit savoir l'origine de ces êtres transportés dans la nuit. Le moindre écho de presse mettrait en danger l'existence de milliers de juifs éthiopiens du Soudan, qui attendent leur délivrance.

Le premier bus file sur l'autoroute. Worknesh tousse dans le lambeau de tissu qu'elle tient serré dans la paume. L'enfant se dissimule sous le rideau, contre la vitre glacée. Il pleure. Les lumières d'une ville défilent au loin. Il se reprend. Il découvre soudain la lune pleine, très haute dans la nuit, elle semble être là pour lui. Il croit reconnaître un visage qui se reflète dans sa face lumineuse. « Maman », murmure-t-il, apaisé.

Dans l'autobus, les Falashas se tiennent comme

des enfants que l'on aurait sermonnés. Ils dodelinent, épousent les oscillations du véhicule. Des femmes sont assises de biais sur leurs sièges, leurs nouveau-nés serrés sur leur dos, dans la toge. L'enfant semble rassuré, il n'est plus seul maintenant, la lune l'accompagne. Il découvre, curieux, le spectacle de la nuit d'Israël. Les yeux grands ouverts, il s'étonne de tout, des panneaux publicitaires où une jeune femme, en bikini, a posé, quasi nue, pour la promotion d'un club de vacances d'Eilat, sur la mer Rouge ; des hautes cheminées d'usines qui crachent des panaches de fumée blanche dans le ciel noir. Le bus dépasse une voiture, et le gamin aperçoit le visage pâle de son conducteur, strié par les lueurs colorées du tableau de bord. Des taches de toutes les teintes, des signes lumineux sont suspendus dans la nuit ; surgi d'il ne sait où, un serpent illuminé, ininterrompu, double le car à droite, en un éclair effrayant, dans un hurlement mécanique. L'enfant sursaute. Le train disparaît dans l'obscurité d'encre aussi vite qu'il est apparu.

Inquiet, l'enfant craint de perdre la pierre suspendue à son cou, comme si le don de sa mère, son seul bien avec la lune, le protégeait.

Un Ethiopien israélien se penche vers le conducteur et l'interpelle, familier :

— Maintenant, s'il vous plaît !

Il lui tend une cassette que l'autre introduit dans le lecteur. Emergeant du ronron confortable du véhicule Pullman, une voix féminine sublime interprète une chanson en hébreu : *« Yeroushalaïm shel zahav! »* Les traits des Falashas se transforment, et, malgré l'épuisement, l'incompréhension de cette langue, ils se redressent dans les sièges, les yeux brillants. Alors, ces gens qui ont traversé des siècles en quelques heures se surprennent à fredonner, timides : « *Yeroushalaïm*, Jérusalem ! »

L'enfant s'abandonne à l'émotion collective. Les quintes de Worknesh se sont même interrompues, elle est parmi les premières à entonner doucement ce chant d'accomplissement. Le chœur s'affirme, les murmures deviennent des voix, et l'enfant lui aussi entonne le refrain : « *Yeroushalaïm shel zahav!...* Jérusalem ! Jérusalem ! » Pour lui, ce n'est qu'un simple mot, comparable à « Frère Jacques ». Pour les Falashas, c'est le mythe, le Paradis qu'ils pensent avoir atteint.

L'autobus pénètre dans la ville. Derrière la vitre, l'enfant découvre un commerce d'épicier ouvert la nuit; son étal, violemment éclairé, découvre des fruits, des légumes d'abondance, de toutes les couleurs, des énormes avocats aux monceaux d'oranges, papayes, pamplemousses, tomates, pastèques, melons, oignons, carottes, figues, poireaux, kiwis et concombres. Ces fruits d'Israël, que pour la plupart il ne connaît pas, semblent le narguer. Sont-ils réels? Les néons qui illuminent les commerces l'intéressent aussi : il ne saisit pas par quelle magie des bâtons sans flamme peuvent ainsi briller.

Autour de lui, dans l'autobus, c'est un pia-pia de bavardages, d'étonnement. Les Falashas ne cessent de commenter le mystère des lunes suspendues dans les arbres, ce sont des réverbères. Le Qès, leur chef spirituel, exprime l'une de leurs interrogations :

— Pardonne-moi, mon fils, dit-il au Falasha israélien assis près du chauffeur, est-ce le jour ou la nuit ?

— C'est la nuit, répond le guide, un sourire en coin, la lumière électrique est une bénédiction de Dieu.

Les autobus s'immobilisent devant une clôture grillagée, gardée par des civils en armes. L'un des hommes monte, salue le guide, sonde les visages souriants, puis il descend, et il fait signe à ses collègues d'ouvrir le portail. Les véhicules avancent lentement. La tête passée sous le rideau, le nez toujours collé à la glace, l'enfant observe les hommes armés qui manœuvrent les lourds vantaux. Il a tant vu d'armes au camp. Celles des militaires soudanais crépitaient souvent, quand ils tiraient en l'air pour mater les bagarres qui éclataient lors des distributions de nourriture. Le môme se pelotonne au fond de son siège, persuadé qu'il est coupable, que c'est lui que l'on recherche. Il a menti, et ces hommes armés le savent...

L'autobus s'engouffre dans la cour de la propriété, avant de s'immobiliser. L'enfant perçoit la voix du Qès, à l'avant du bus :

— Pardonne-moi encore, fils, fait-il au guide israélien. Il y a tant de juifs albinos à Jérusalem ?

— Vous voulez dire... blancs ?

— Oui, blancs, albinos...

— Mais tous les juifs sont blancs en Israël !

Les Falashas, stupéfaits, se dévisagent.

— Mais alors, fils, poursuit le Qès Amhra, nous ne sommes pas encore dans notre pays, nous ne sommes pas arrivés à Jérusalem ?

— Mais si, c'est notre pays, tout le pays est Jérusalem ! Israël est la terre de nos ancêtres, nous sommes dans Jérusalem, vous êtes à la maison...

Les passagers éthiopiens descendent par les portes avant des autobus, les vieux marchent à l'aide de cannes, ils sont soutenus par de jeunes aides sociales, d'autres tiennent serré dans leurs bras le seul bien qu'ils possèdent ici-bas, un baluchon, une natte de paille roulée, quelques sacs de tissu. Ils n'ont rien d'autre, sinon leurs frusques élimées.

L'enfant a glissé sa main dans celle de Worknesh, et ils avancent dans cette nuit silencieuse, guidés par les blancs. Il ne cesse d'observer ces hommes armés, près du portail, il a peur. Worknesh respire les parfums d'une nature qu'elle avait oubliée depuis longtemps. Les Beta Israel se dirigent vers le bâtiment d'une école réquisitionnée, transformée en *merkaz klita* pour l'occasion, un « centre d'absorption ».

4

La terre des ancêtres

Comment l'enfant aurait-il pu imaginer qu'existe pareil endroit ? Dans la buée étouffante entre les murs et le sol carrelé d'un blanc immaculé, une fille blanche brique énergiquement son dos nu au gant de toilette. Elle maintient le gosse sous la douche. Paumes ouvertes, le petit dissimule son entrejambe et s'abandonne, mais son regard se fixe sur la pluie qui dégringole du pommeau, au-dessus de lui. Une eau pure, transparente, comme il n'en a jamais vu. Ses yeux descendent le long du tube, puis s'arrêtent entre ses pieds, où l'eau s'échappe en tourbillon par le goulot d'évacuation. Saisi d'une incompréhensible frayeur, il se jette à quatre pattes, il veut obstruer l'œil de métal où l'eau disparaît, gargouillante. Il hurle. Exaspérée, dépassée, l'aide sociale panique devant les réactions de cet enfant sauvage, elle tente de le relever, mais il résiste, agrippé au tube, s'efforçant en vain d'endiguer l'eau du plat de ses paumes.

Le guide falasha israélien, celui de l'autobus, surgit. Il bouscule l'aide sociale, tourne le robinet, arrêtant la pluie.

— Calme-toi, ça va ! fait-il doucement, s'adressant à l'enfant dans sa langue. Ça va, mon garçon, il y a beaucoup d'eau en Israël... N'aie crainte.

Il l'enroule dans une épaisse serviette.

— Pardon ! Ce n'est pas ma faute... pas ma faute... sanglote l'enfant, tremblant.

Le guide le serre contre lui :

— Ça va... ça va... calme-toi. Il y a assez d'eau. Assez d'eau.

— Ce n'est pas ma faute, répète l'enfant.

L'aide sociale, impressionnée, muette – c'est son tout premier jour de travail avec les Ethiopiens –, s'est reculée, le dos au mur. Elle pense avoir commis une maladresse. Elle fixe l'enfant qui n'a d'yeux que pour l'eau qui s'évanouit à jamais.

Quelques instants plus tard, dans une ancienne salle de classe transformée en dortoir, la jeune femme aide l'enfant à passer une chaussette. Il doit enfiler l'autre lui-même. Il tire sur la chaussette, s'étonne qu'elle soit si étroite, il tente de l'enfiler de force, pour montrer sa bonne volonté. Sans perdre patience, l'aide sociale roule la chaussette. Elle lui montre comment commencer, par la pointe du pied, puis le talon, elle l'ôte, et l'enfant essaye à son tour. Assise près de lui sur sa couchette, Worknesh sourit.

Dans cette salle de classe ne se retrouvent que des femmes et des enfants en bas âge, les hommes sont logés dans une autre pièce, les familles complètes ailleurs encore. On a improvisé des dortoirs, dressé des matelas à même le sol, apporté de nombreuses chaises. Des aides sociales distribuent vêtements, chaussures et serviettes de bain.

Habillé maintenant d'un survêtement marine en coton, d'un tee-shirt immaculé, des fameuses chaussettes de sport, de tennis blanches, d'une doudoune bleue de l'armée, la fameuse *doubon,* trop grande pour lui, l'enfant observe ses compatriotes, une bonne centaine de Falashas vêtus comme lui.

Le soleil pointe à peine, une grappe d'Ethiopiens se tient serrée contre la fenêtre qui donne sur la cour intérieure du centre. De l'autre côté, des employés brûlent les hardes des Falashas en un grand feu. Ces haillons sont à la fois un condensé d'infections, mais aussi la seule trace du passé, d'une tradition. Par respect, on a permis aux Qès et aux vieillards de garder leurs turbans et leurs *shämmas.*

Il fait grand jour, le soleil luit. La communauté des nouveaux arrivants a pris place dans un immense gymnase, l'ancienne salle de sport transformée en réfectoire. Le sol indique les différentes disciplines, handball, volley, tennis, les murs sont encore revêtus de leurs panneaux de basket. Les blancs ont distribué des plateaux sur les tables, une patate bouillie, un œuf dur, du pain, une tablette de margarine, de la confiture et un broc de thé. Ces premiers repas ont été conçus par des médecins nutritionnistes. Jamais auparavant, lors des si nombreuses *alya,* le retour des juifs en Terre sainte, Israël n'a été confronté à pareille situation sanitaire. Pourtant, le ministère de la Santé a dû assurer beaucoup de retours difficiles, celui des Yéménites en 1947, celui des Irakiens...

Avant de toucher à leur repas, les Falashas récitent une prière. Entonnée en hébreu par un rabbin israélien, elle est relayée par un Qès en guèze, l'ancienne langue des Ethiopiens, la langue de la spiritualité.

L'enfant observe. A l'exemple des siens, il baisse le menton, fait mine de se recueillir et marmonne la mélodie des paroles dont il ignore le sens. Puis, sans attendre, il saisit la pomme de terre à pleine main. Mais Worknesh l'en empêche :

— Pas avant le *amen !*

« *Amen* », le voici, prononcé enfin par tous en chœur. L'enfant se saisit à nouveau de la patate qu'il mord à pleines dents. Indifférent aux conseils des aides sociales, revêtues d'une chasuble violette, qui expliquent aux affamés l'art et la manière de se saisir d'un couteau et d'une fourchette, l'enfant avale, bouchée après bouchée, tout comme les autres, car pas un ne suit les leçons des monitrices. A leur habitude, les Falashas mangent à l'aide de leurs doigts, et les plateaux-repas sont vites engloutis.

Tout à coup, des claquements résonnent à l'une des extrémités de la salle. Des Israéliens, blancs et noirs, installés sur une estrade, invitent le Qès Amhra. Un fonctionnaire du *Sohnut*, l'agence responsable du retour des juifs, prend la parole d'une voix puissante, en hébreu. Ses propos sont aussitôt traduits en amharique.

— Pour la première fois dans l'Histoire, des frères, des noirs sont sortis d'Afrique, non pour être vendus, non pour être humiliés, esclaves, mais pour être sauvés, libérés ! Soyez les bienvenus sur la terre d'Israël ! *Shalom !* conclut-il en ouvrant grand les bras.

L'assistance applaudit. Alors le Qès s'avance et parle au nom de tous.

— ... Je remercie Israël au nom de ma communauté. Israël nous a sauvés, nous a conduits dans notre pays. *Shalom* Jérusalem !

L'enfant écoute, mais il ne comprend rien des propos qui s'échangent.

A son tour, un Falasha israélien avance d'un pas sur l'estrade. Il s'adresse aux nouveaux venus en langue amharique :

— « Celui qui garde sa bouche et sa langue garde son âme », est-il écrit dans le Mishlé. Ne confiez à personne, pas même ici, en Israël, le chemin que vous avez parcouru, d'où vous venez. Ce voyage doit rester votre secret. Si vous parlez, vous mettez en danger vos familles, ceux qui sont encore au Soudan, en Ethiopie.

Le réfectoire s'est apaisé. Un silence profond témoigne de l'errance de chacun, les pistes, la faim, l'enfer des camps où tant sont morts, ou espèrent encore...

L'homme reprend :

— Gardez le secret. N'écoutez aucune rumeur, ne croyez pas ceux qui prétendront que l'un des vôtres est mort depuis votre départ, tant que nous ne vous confirmons pas cette disparition, ne croyez personne. Venez nous trouver, car nous, nous saurons. Poursuivez votre repas, que Dieu bénisse cette nourriture. Demain, vous passerez une visite médicale, puis vous serez identifiés, c'est pourquoi nous vous demanderons de vous regrouper par familles, par villages... *Shalom.*

Devinant le trouble de l'enfant, Worknesh serre sa main dans la sienne.

— Ne t'inquiète pas, tout se passera bien, murmure-t-elle.

Le lendemain au matin, dans une autre salle de l'école aux murs décrépits, les Ethiopiens observent la scène étrange qui se déroule devant eux, sur une nouvelle estrade. Ils sont alignés sur des rangées de bancs, regroupés par familles, silencieux, à l'exception des enfants qui manifestent leur impatience, car l'attente est longue. A l'extrémité de la salle, non loin de la porte, un fonctionnaire blanc flanqué d'un traducteur falasha questionne les Ethiopiens à tour de rôle. Un vieux monsieur noir se dirige vers la table et s'assoit face à l'Israélien barbu, souriant, un homme fort, vêtu d'une chemise bleu pâle, ouverte sur un tee-shirt rebondi à la taille.

Le traducteur ouvre un nouveau dossier.

— Il s'appelle comment? fait le fonctionnaire à l'intention de son collaborateur.

— Adisalem.

— C'est pas juif...

A la deuxième rangée, assis près de Worknesh, l'enfant se dissimule derrière un dos imposant. Inquiet, tendu, il ne perd rien de l'entretien, dans la crainte de cet homme blanc qui lira en lui comme dans un livre ouvert, qui lira le mensonge dans ses yeux.

— Adisalem, dit le traducteur, signifie « nouveau » pour *adis*, et « monde » pour *alem*, son nom signifie donc : « Nouveau Monde »...

Le blanc réfléchit, puis lance :

— Adisalem, Adi... OK! Prends note : désormais, il s'appellera Eddy.

Le traducteur, navré, inscrit « Eddy » dans son dossier, à contrecœur, puis il traduit la décision.

Le vieil homme baisse la tête, il accepte ce nouveau nom.

Les Ethiopiens du premier rang se tassent, épaules voûtées, têtes baissées. Leur Qès aussi. Mais déjà le suivant, un tout jeune homme, succède à Adisalem-Eddy.

— Es-tu sûr d'être juif? lui demande le fonctionnaire. Je répète une deuxième fois... Ecoute, je vais te dire ceci : tu n'es pas juif, car personne ne te connaît ici. Quel est ton village, tu l'as oublié ? Tu ne sais plus ? Très bien....

Le fonctionnaire esquisse un signe. Deux hommes en civil s'approchent courtoisement du garçon et l'invitent à se redresser. Quelques minutes plus tard, les Falashas perçoivent le moulin d'un moteur qui démarre. Le silence retombe, grave, l'enfant a les yeux fermés.

Le fonctionnaire s'adresse rudement au traducteur :

— Tu dois m'aider, interviens ! Nous ne devons faire aucune erreur. Je ne peux pas les reconnaître tout seul...

— N'oublie pas, murmure Worknesh à l'oreille de l'enfant, ton nom est Salomon. Salomon ! Ton père s'appelait Isaac, ton arrière-grand-père, Yakov, ton frère Yakov, et ta sœur, Aster. Ils sont morts dans le désert. Souviens-toi : notre village s'appelait Weleka, répète...

— Je m'appelle Salomon, j'avais une vache, Mandala...

— Non, juste Salomon, souffle Worknesh, oublie la vache. Es-tu circoncis ?

L'enfant fait mine d'ouvrir son pantalon, Worknesh l'en empêche.

— Je te crois.

Elle sait que les Ethiopiens, qu'ils soient chrétiens coptes, musulmans ou juifs, sont tous circoncis.

Maintenant, ils sont assis tous les deux face à l'enquêteur. L'enfant, transi, évite ses regards.

— C'est ton fils ? demande le fonctionnaire.

Le traducteur s'exécute. Worknesh acquiesce, la gorge prise d'une nouvelle quinte de toux.

— Il s'appelle comment ?

Avant même qu'elle ait prononcé un mot, l'enfant se lance :

— Salomon !

Il a dit les trois syllabes très vite, sûr de lui, fixant l'homme d'un regard noir, comme si de son intonation dépendait le verdict de l'inconnu.

— Salomon... Eh bien... nous allons inscrire Schlomo sur tes papiers. Voilà mon petit, tu t'appelles Schlomo. Ça te va ? Schlomo, tu comprends ?

Israël est ainsi, une énorme lessiveuse qui veut rendre ses citoyens égaux, solidaires les uns des autres. La langue commune est l'impératif, les prénoms juifs une nécessité. Et Salomon, en l'occurrence, n'existe plus dans cet Israël moderne, Schlomo est l'usage. Worknesh répète « Schlomo » faiblement. Son regard se pose sur l'enfant devenu Schlomo.

— Bien, poursuivons, maintenant : quel est le nom de son père, de son grand-père ? demande l'autre au traducteur.

Worknesh, reprenant son souffle, empêche l'enfant de répondre :

— Nous sommes de Weleka, dit-elle, tout le monde nous connaît ici, demandez au Qès Amhra, notre rabbin.

Au premier rang, le vieux au turban baisse les yeux aussitôt. Worknesh poursuit, d'un trait :

— Mon mari s'appelait Isaac, ma fille aînée, Aster, mon cadet, Yakov, et tous sont morts. Il ne me reste que Salomon... Schlomo !

Elle a prononcé ces noms comme si elle avait puisé en elle ses dernières ressources. A bout de forces, elle se montre fière, déterminée, un roc. Elle se tourne à nouveau vers l'enfant, et ils échangent un regard de tendresse. Un sourire apaisé, reconnaissant, s'esquisse sur les lèvres du petit.

— Tu veux aller à l'école, Schlomo ? Tu apprendras l'hébreu, poursuit l'Israélien.

Schlomo se tourne vers Worknesh, comme s'il quêtait sa permission.

— Bien sûr, il ira à l'école, répond-elle à l'homme.

— Je veux rester avec elle, apprendre avec elle... dit l'enfant.

— Ne t'inquiète pas, Schlomo. Vous resterez ensemble, le rassure-il, posant sa main sur la sienne. Personne ne vous séparera.

Le traducteur informe Worknesh qu'elle s'appelle désormais Zéhava...

Les « centres d'absorption » ont l'âge de l'Etat d'Israël. Bien avant les Falashas, les juifs d'Irak, du Yémen, de Russie soviétique – en Israël, on décompte cent trente origines juives différentes –, ont été accueillis dans cette sorte de sas. L'Etat a édifié ces bâtiments pour abriter les dortoirs, l'infirmerie, l'administration ; instituteurs, aides sociales, fonctionnaires, psychologues, des générations de volontaires juifs ont aidé ceux qui arrivaient de tous les points du monde. Les nouveaux venus ont ainsi appris les règles de leur nouvelle vie, l'hébreu, des choses infimes, des détails difficiles à imaginer, mais qui favorisent la connaissance du pays, l'intégration des arrivants. Chacun des citoyens apporte avec lui sa culture propre, son univers familier, sa langue, ses rêves, l'image du cher pays idéalisé. Depuis son origine, le défi d'Israël a été de rassembler cent trente peuples en un. Les enfants de ceux qui seront passés par ces sas, ces centres de formation – on appelle cette deuxième génération les *sabra*, les natifs – se revendiquent alors plus israéliens que juifs.

En quelques heures seulement, Schlomo a hérité d'un prénom, il a découvert que l'eau, cette denrée dont les siens avaient été privés au cœur du désert soudanais, était un bien inépuisable à Jérusalem. Que l'on gaspillait... Il se surprend à rêver qu'on en envoie un peu là-bas. Pour boire. Pas pour prendre des douches. Enfin, Schlomo a appris à enfiler des chaussettes, il sait désormais que les gens se couvrent le corps et la tête quand il fait froid, qu'ils se cachent dans l'intérieur des vêtements. Comme ça, le froid ne les surprend pas.

Schlomo se plante devant les vitres du dortoir, aux côtés des vieux. Il observe l'agitation, des voitures de toutes les formes, de toutes les couleurs, elles rasent les trottoirs populeux où des blancs vont d'un bon pas. Fasciné par ce spectacle, Schlomo se demande pourquoi lui et les siens n'ont pas l'autorisation d'aller marcher dans cette rue en compagnie des blancs. Il se souvient des paroles du traducteur : la présence soudaine d'autant d'Africains dans une ville blanche dévoilerait le secret de « l'Opération Moïse » et mettrait en péril ceux qui sont restés là-bas au Soudan, ceux que l'on rapatrie à raison de deux cent quatre-vingt-sept par jour, un vol quotidien...

Au milieu des vieux, revêtus des mêmes survêtements gris ou bleu marine, chaussés des mêmes baskets immaculées, Schlomo écoute. Un vieillard s'adresse à plus vieux que lui :

— Il y a beaucoup de non-juifs sur la terre d'Israël... Des autos qui roulent pendant shabbat, une honte ! Ce matin, ils nous ont donné du lait chaud à boire, ils allument le feu ! Le jour du repos ! J'ai refusé leur nourriture. Crois-tu qu'ils l'ont fait exprès pour savoir si nous étions vraiment juifs ?

— J'ai refusé de boire, dit l'autre à son tour. La jeune fille en violet m'a dit qu'elle mange chaud pour shabbat et que ce matin même, elle est venue travailler en voiture... Elle est juive pourtant !

— Ils sont peut-être à moitié juifs, dit un troisième.

— Ça n'est pas notre affaire, fait un autre.

— C'est notre problème, reprend le premier. Ils détournent les Ecritures. Je vous le demande : sommes-nous vraiment à Jérusalem ?

Le doute s'installe. Nez aplati contre la vitre, Schlomo murmure pour lui-même : « Shabbat, pas shabbat, juif, demi-juif, pas juif, juif albinos, juif blanc... »

Après le dîner, une dizaine d'enfants, allongés sur le sol, sont rassemblés devant un téléviseur. Des gens âgés, portant des kippas, tenant leur canne dans leurs doigts fins, partagent un gâteau ; ils sont assis en cercle et, ignorant les images, ils papotent comme sur la place du village. Le brouhaha du bavardage des enfants étonnés s'amplifie chaque fois que l'aide sociale change de canal à l'aide de la télécommande. Assis en tailleur, Schlomo boit littéralement ce spectacle incompréhensible. Lorsqu'il était plus jeune, sa maman lui disait des contes rapportés par les vieux, des histoires de petits hommes, des bouffons vivant à la cour des pharaons d'Egypte. Les Pygmées. Il ne les imaginait pas aussi petits que ceux de l'écran; il pensait qu'ils étaient noirs, or dans cette boîte, il a compté au moins cinquante Pygmées blancs, musiciens y compris. Ce qui l'intrigue aussi, c'est que certains parviennent à se glisser dans les recoins, à droite, à gauche, vingt parfois, alors qu'il y a bien peu d'espace entre l'écran de verre et la boîte... Ils doivent se serrer, pense-t-il, rentrer leur ventre.

Une gamine assise derrière le téléviseur alerte les autres.

— Ici! Venez voir! Il y a une petite porte ouverte... Ils entrent et ils sortent comme ça, c'est sûr.

— Mais comment font-ils? Il n'y a pas d'échelle.

Enfants et vieillards ignorent qu'ils vivent la Saint-Sylvestre chrétienne de 1985, eux qui depuis des siècles fêtent le nouvel an en septembre... Ce qu'ils découvrent à la télévision, c'est une émission de variétés, où les chanteurs, les animateurs et les comiques célèbrent en musique, grand orchestre, confettis et paillettes, l'avènement de l'an neuf.

Les enfants, à quatre pattes, s'installent face à la minuscule trappe entrouverte derrière le téléviseur. Seul Schlomo est resté devant l'écran, bouche bée, stupéfait par les costumes, les décors et le faste de ce spectacle. C'est alors qu'il entend Zéhava, sa nouvelle maman, qui tousse lamentablement. Sa respiration siffle, un filet sanglant s'écoule de ses lèvres. L'enfant la rejoint, il est inquiet.

5

L'enfant sauvage

Zéhava est étendue sur un brancard, l'aiguille de la perfusion dans un bras, un masque à oxygène lui couvre le visage. Une infirmière prend la main de Schlomo.

Hérissé de poches transparentes, de tubes suspendus à une girafe d'acier, le brancard à roulettes, poussé par deux infirmiers israéliens, file dans les couloirs. Les Ethiopiens, sortis des salles de classe transformées en dortoirs, suivent cette course pour la vie, Schlomo ne comprend pas pourquoi ces gens vêtus de blanc s'emparent de Zéhava, pourquoi sa protectrice est attachée à la civière par tous ces fils. Pourquoi, enfin, les Ethiopiens les laissent-ils faire? Le brancard traverse le parc où une énorme camionnette attend, portes ouvertes, gyrophares zébrant la nuit profonde. Pour Schlomo, ces images sont apocalyptiques. La civière de Zéhava est avalée par le véhicule, et on le prend, lui, et on le pousse près d'elle. La voiture fonce dans les rues encombrées. Le timbre hurlant de la sirène à deux tons emplit tout l'habitacle. L'ambulance slalome sur la chaussée, elle se faufile entre les véhicules, et l'enfant gigote dans ce cube de ferraille. Parfois, l'infirmière le rattrape, le maintient sur le strapontin. Par le haut des vitres non teintées, Schlomo aperçoit des façades éclairées de rouge, de bleu ; les bruits, la ville l'atteignent. Il ne quitte pas des yeux les visages masqués des infirmiers qui s'activent au-dessus du corps de Zéhava. Ils essuient les bulles qui perlent de ses lèvres, elles glissent dans son cou. Les infirmiers augmentent le débit de l'intraveineuse, ils maintiennent le masque à oxygène sur son visage.

La voiture freine, et les portières s'ouvrent soudain, brutales. De nouvelles blouses extirpent le brancard. Saisi par une main différente, Schlomo est tiré de l'ambulance, traîné au pas de course dans ce nouveau cortège. Un véhicule obscur, teinté de lueurs bleutées, le surprend, mais de lourdes portes glissières s'entrouvrent déjà. La civière à roulettes est avalée dans une boîte qui se referme sur eux, trois hommes habillés de vert, masqués, coiffés, sont penchés sur Zéhava. Ils parlent l'hébreu. Le cube s'ébranle, il s'élève lentement dans un grincement sinistre. Les yeux de Schlomo s'accrochent à la rangée de clignotants jaunes du monte-charge, des chiffres défilent, à grande allure.

Il doit bien être minuit, une heure peut-être. L'enfant ensommeillé est inerte dans la salle d'attente, seul, assis dans l'un des fauteuils froids, quand une infirmière éthiopienne s'approche, bienveillante. Elle lui dit en amharique :

— Ta maman va mieux. Elle est entre de bonnes mains. Tu pourras la voir un peu plus tard, enlève ta doudoune. Il s'exécute, en silence. J'allume la télévision ?

Les heures s'écoulent, Schlomo dort, allongé par terre, au pied du téléviseur. De l'autre côté, la neige électrique grésille sur l'écran. Parfois, les paupières lourdes s'entrouvrent, alors, comme un chat, Schlomo scrute le capot, au dos du poste. Des filaments lumineux brillent dans la caisse.

— Salomon... Salomon...

La voix de Zéhava lui parvient, affaiblie, d'une des chambres contiguës.

L'enfant passe la porte entrouverte. Zéhava repose, yeux mi-clos, sous un mur recouvert de cadrans, de machines. Schlomo s'assoit près du lit. Il est heureux de partager les événements de cette journée.

— Personne n'est descendu de la télé. Ils ne sont pas encore allés dormir, dit-il doucement.

Zéhava lui sourit :

— Salomon... Ecoute-moi, ne dis rien à personne, garde notre secret... Sinon ils te renverront en Ethiopie. N'oublie pas, tu es mon fils, un juif de Weleka. Apprends nos traditions, et tu auras la vie sauve. N'oublie jamais le nom de tes parents et de tes grands-parents, Isaac, Worknesh, Yakov... Et surtout, n'oublie jamais ta mère restée là-bas. Tu la reverras un jour, car tu vivras...

Le regard de l'enfant s'assombrit, il comprend que ces paroles sont les dernières. Il murmure « Non! », puis il ose, doucement :

— Ne meurs pas... Ne meurs pas...

— Ne pleure pas, mon enfant, dit-elle dans un souffle léger, tandis que ses doigts fins saisissent la petite pierre attachée au cou de Schlomo. Ses paupières se ferment. Elle s'en va.

La pierre de lune glisse entre ses doigts, la main se pose enfin ouverte, sur le drap. Schlomo est figé, comme si lui aussi disparaissait.

Schlomo est seul dans la salle de classe-dortoir. Les autres sont au cours d'hébreu, ailleurs. Assis sur un matelas, à terre, revêtu de sa doudoune, son petit sac contenant ses affaires près de lui, il attend, aussi prostré que la veille, à l'hôpital.

L'autobus quitte l'enceinte du « centre d'absorption », un seul occupant à son bord. On ne distingue que le petit visage dans les ramures des arbres qui se reflètent sur les vitres teintées.

Des arbres encore, immenses, couverts de fleurs bleues, répandent des effluves fruités sous l'effet de la chaleur qui monte dans le matin. C'est le parc d'une *boarding school*, l'un des orphelinats du mont Carmel, au nord du pays, à quelques kilomètres de Haïfa. L'institution est conçue comme un kibboutz. De l'âge de sept ans jusqu'au baccalauréat, les enfants étudient et apprennent différents métiers, de l'agriculture à la mécanique, sans oublier l'informatique et les arts. Ils font tous connaissance avec la terre, les ateliers, ils vivent comme des paysans, comme des apprentis. Ils deviennent des citoyens, en somme. La mission des équipes enseignantes est de former des femmes et des hommes capables d'affronter la vie, d'améliorer la société israélienne de demain. Pour les enfants, cette nouvelle famille qu'est l'école les soutiendra toujours. D'ailleurs, à chaque rentrée, l'économat de la *boarding school* réserve des lits destinés à ses anciens pensionnaires, ceux qui souffriraient du lien interrompu avec l'institution. Bien peu s'y réfugient, mais ils savent qu'on les accueillera, quoi qu'il arrive. Avec leurs conjoints, avec leurs enfants, ils viendront souvent rendre visite aux professeurs, comme on le doit à ses propres parents.

Chaque trimestre, le directeur réunit l'équipe enseignante. Tout au long de l'année, les professeurs et les éducateurs mettent leur connaissance à jour, complètent leur formation par la lecture des derniers ouvrages pédagogiques de psychologie, en quête des innovations pédopsychologiques.

L'équipe n'hésite jamais à remettre ses méthodes en question, elle considère l'enseignement, l'école, comme un laboratoire. Tout est fait pour que les professionnels échappent à l'encroûtement. Le financement de la *boarding school* est assuré en partie par l'Etat, mais aussi grâce à des soutiens d'associations caritatives américaines. Autant que leurs moyens le leur permettent, ces établissements pratiquent l'échange avec les réseaux scolaires d'Israël ou de l'étranger. Indépendants quant à leurs choix pédagogiques, ces éducateurs, mi-intellectuels, mi-paysans, enseignants d'un type nouveau, n'ont pas l'allure des fonctionnaires de l'Education. Ils sont plutôt « sandales et bottes » qu'escarpins, chemises à carreaux et pulls de grosse laine des pionniers que vestes cintrées, chemises de lin et cravates anglaises.

En cette fin de matinée ensoleillée, malgré le froid hivernal, le directeur, hissé sur les marches du bâtiment central, tient un bref discours de bienvenue devant les cent cinquante nouveaux pensionnaires. La majorité de ces orphelins est éthiopienne, mais on compte aussi une dizaine d'Israéliens et deux adolescents russes. Ils chahutent, seul Schlomo, silencieux, reste solitaire. Il n'a pas le moindre regard pour ce lieu, ni même pour un seul des gosses rassemblés.

Un peu plus tard, son sac dans la main, Schlomo est conduit à l'étage, dans la chambre double qu'il partagera avec un Falasha de son âge. Le mobilier est sommaire, strict, fonctionnel, deux petits lits, deux armoires, deux chaises et deux tables. Schlomo range ses affaires, il étend sur son lit les draps, la couverture, ainsi qu'on le lui a demandé, quand un garçon passe le seuil de la chambre. Il est vêtu comme lui, et il dépose un sac semblable au sien sur le lit jumeau.

—Je m'appelle Zwi, et toi?

Occupé à ranger son barda, Schlomo aperçoit la main tendue, mais il se détourne et ne répond rien.

D'un ton plus assuré, l'enfant effleure son épaule :

—Je suis Zwi. Et toi, c'est quoi ton nom?

Il lui donne une petite tape sur le dos. Schlomo se retourne et lui assène un violent coup de poing. Zwi s'affale; il porte les mains à son visage, il chancelle, il saigne du nez. Il hurle. Schlomo tourne les talons, quitte la chambre en courant et s'enfuit dans les couloirs.

Engoncé dans la doudoune qu'il ne quitte plus, comme dans une carapace qui le protégerait, il est maintenant assis à un bureau, face au directeur. Celui-ci va et vient, très en colère.

— Ici, tous les enfants sont orphelins! Tous! Je sais ce qui t'est arrivé, je sais ce que vous avez enduré, je comprends ce que tu ressens. Zwi a perdu les siens, lui aussi. Mais je n'accepte pas la violence. Comprends-tu? Tu m'écoutes? Il y a mille cinq cents orphelins ici. Je te rappelle les règles...

Schlomo entend les paroles, mais il n'écoute pas les mots qui lui parviennent, monotones, étouffés comme au travers d'une paroi. Son esprit vagabonde en d'autres contrées, rien ne peut l'atteindre, ni personne. Rien, sinon la douleur qui lui tenaille le ventre.

Le dernier lien qui le retenait au monde s'est rompu. Privé de repères, l'enfant est désormais perdu, sauvage, seul. Hors de lui, incontrôlable. On l'isole donc dans une chambre, provisoirement.

Aux heures des repas, Schlomo refuse de s'alimenter, de toucher au moindre plat. Il maigrit. S'excluant de la communauté des enfants, il a pris l'habitude de tourner en rond dans la cour, mains dans les poches, loin des autres. Le directeur de la *boarding school*, les enseignants, le psychologue sont en alerte, tous ont compris la situation singulière que l'enfant a choisie. Il s'isole. A tel point que les orphelins le craignent autant qu'il les inquiète.

Un matin, s'alarmant de son absence en classe, une assistante l'a surpris, pelotonné dans un angle de sa chambre, prostré, dans une attitude empreinte d'une tristesse infinie.

A midi, l'enfant attend au réfectoire, immobile devant son bol de soupe, alors que ses voisins de table achèvent leur repas. Comme de coutume, Schlomo n'a touché à rien, il n'a même pas pioché une feuille de salade. Il est absent. Un brouhaha de paroles et de rires emplit la salle à manger, les enfants chahutent, s'interpellent, mais Schlomo, recroquevillé, n'entend rien. Quand, tout à coup, une tranche de pain tombe dans son potage : Zwi, en face de lui, éclate de rire. Le tee-shirt, le visage de Schlomo sont constellés de soupe. Alors, l'enfant sauvage bondit, grimpe sur la table, et, dans le choc des couverts qu'il piétine, il se jette sur Zwi, enragé. Ils roulent à terre, l'un sur l'autre, Schlomo tape, cogne, prend le dessus. Des gosses s'interposent, tentent de les séparer, mais Schlomo se débat. Ses coups désordonnés pleuvent sur les enfants qui les lui rendent. Quand les surveillants interviennent enfin, la mêlée est générale. Peu importe que le combat soit inégal, Schlomo, aveuglé, frappe. Il gifle, il se débat, bouscule, s'agrippe aux blouses au-dessus de lui, des chaises basculent dans la mêlée, les pieds des tables crissent sur le carrelage, mais que peut-il, seul contre tous ? Ceinturé enfin, immobilisé, haletant, le visage ensanglanté, il râle. Il aurait aimé qu'on le massacre, mais il se rend, vaincu.

Depuis lors, Schlomo est isolé. Au réfectoire, loin des autres gosses, il est assis devant un couvert, tout près d'une baie vitrée. Surveillé par un pion, il se tient immobile devant le plateau-repas. S'installe alors une sorte d'hostilité à son égard : quelques surveillants comprennent sa résistance, son refus de s'alimenter comme un affront.

Ils veulent le faire plier. Deux pions l'obligent

ainsi à courir le soir avant de regagner sa chambre. Les propos sont durs, presque cyniques : « Entraîne-toi, vas-y ! Tu seras champion olympique... »

Schlomo s'enferme un peu plus dans son mutisme, tant d'hostilité engendre à son tour le rejet.

L'institutrice dépose le bâton de craie dans la rainure, et elle se frotte les mains en les claquant l'une contre l'autre. Elle vient de tracer des caractères hébraïques au tableau noir, elle les fait répéter avec autorité aux enfants. Les petits reconnaissent les images et prononcent en chœur les mots qui les désignent.

— Vache... Fille... Garçon... Poisson... Oiseau...

Comme d'habitude, l'institutrice constate que Schlomo ne participe pas à la récitation, mais le petit bonhomme secret, dont elle n'a quasiment jamais entendu la voix, remue les lèvres : il prononce instantanément les mots en hébreu, bien avant les autres, pour lui seul. « Cet enfant apprend vite », se dit-elle, confiante.

La porte s'ouvre tout à coup. Dans le même élan, les enfants s'interrompent aussitôt et se lèvent pour accueillir le directeur.

— Asseyez-vous, fait-il, puis, sans transition : Y a-t-il parmi vous des élèves dont les parents sont encore en Ethiopie ou au Soudan ?

Quelques doigts se dressent. Au troisième rang, Schlomo baisse les yeux. Il pense à sa mère, là-bas, à Um Raquba, mais il se tait. Il aimerait tant qu'on ne l'oublie pas, qu'on la retrouve comme les parents des gamins. Il aimerait lever sa main plus haut que tous, mais il n'en a pas le droit. Il doit garder son secret.

Dans la journée, plus tard, une monitrice vient le chercher. Elle l'accompagne au bureau du psychologue. L'homme, aimable, l'invite à s'asseoir en face de lui. Il choisit les mots les plus simples. Schlomo entend la voix amicale, mais son esprit bat la chamade, il écoute, mais il n'entend rien, sinon ce bourdonnement feutré prononcé par un blanc qui lui parle gentiment. L'homme se déplace d'un bout de la pièce à l'autre, à pas lents, l'air de rien il observe l'enfant. Le gamin tient ses bras repliés contre son torse, comme s'il souffrait.

Au réfectoire, les hommes de ménage retournent les chaises sur les tables, ils lavent le carrelage à grande eau. Le jour tombe, les enfants sont déjà dans leurs chambres, prêts à dormir. Mais Schlomo est puni par les pions qui lui en veulent de pousser leur patience à bout. Hâve, amaigri, il est assis à table, indifférent devant le plateau-repas, dans une salle déserte, sous l'œil excédé d'un seul pion adossé au chambranle de la baie vitrée. Schlomo tient sa tête baissée, ses mains réunies dans l'intérieur de ses cuisses serrées. La punition ne l'affecte pas, elle ne le concerne en rien. Il est si loin... Agacé, le surveillant fait signe à deux de ses collègues, qui se précipitent soudain sur l'enfant. Les hommes le saisissent en tenaille, ils tentent de lui faire avaler de force quelques cuillerées de purée, mais l'enfant se débat, il serre les mâchoires. Les pions tentent de forcer sa bouche avec une cuiller qui meurtrit ses gencives. Sa lèvre inférieure saigne. Schlomo crie comme un beau diable, quand le directeur fait irruption dans le réfectoire.

— Non ! Arrêtez ! Crétins ! s'écrie-t-il, repoussant les adultes.

Puis il prend Schlomo dans ses bras :

— Ça va, ça ira, tout va bien...

Choqué par la scène, il ne sait que dire, étrangement il constate que Schlomo semble moins perturbé que lui, comme si cette scène lui était étrangère. La bouche du gosse est ensanglantée, mais il demeure impassible, silencieux, assis sur sa chaise. Il essuie seulement les parcelles de purée qui maculent sa chemise...

Dans sa chambre, cette nuit-là, Schlomo cauchemarde. Etendu à même le sol, au pied du lit, sa tête s'agite dans tous les sens, comme si l'enfant luttait contre de terribles images. Il supplie, il entend hurler en langue amharique, puis c'est le vacarme assourdissant d'une pile de pièces de monnaie géantes qui s'abattent les unes sur les autres. Elles roulent autour de lui...

— Non ! Non ! Ce n'est pas ma faute, ce n'est pas moi...

Il crie. Son visage, son épiderme sont en sueur, il se réveille en sursaut, terrorisé. Alors, s'arrachant à ses ombres, il se relève et, titubant, il s'assoit sur le lit. Son regard désemparé se perd dans la nuit noire, par la fenêtre. Il aperçoit la lune, et ses sens, son être s'apaisent enfin.

— Maman, murmure-t-il, ils veulent que je change, que je leur ressemble. Mais je ne veux pas ! Comment me reconnaîtrais-tu... Puis il murmure, presque suppliant : S'il te plaît maman, laisse-moi revenir auprès de toi...

Pas un bruit. Le silence profond, seulement.

La nuit est tombée depuis de longues heures, une grande agitation parcourt pourtant la *boarding school*. Au rez-de-chaussée, les salles de cours sont éclairées. Des enseignants, des surveillants traversent en tout sens le parc troué par les faisceaux des lampes torches. On l'appelle.

— Schlomo ! Schlomo !

Un professeur essoufflé, vêtu d'un survêtement, revient du fond de la propriété :

— Il n'est pas dans le parc ! crie-t-il à l'intention du directeur.

D'autres hommes, le psychologue, les gardiens, surgissent à leur tour.

— Nous avons fait le tour des chambres, inspecté les salles communes, réveillé tout le monde, l'enfant n'est nulle part...

— Nous avons prévenu la police, ajoute le responsable de la sécurité.

— Mais où se cache-t-il donc ? Ce gamin me rendra dingue, peste le directeur.

La petite troupe décide de poursuivre les recherches à l'extérieur de la propriété. Au loin, le directeur aperçoit des silhouettes qui arpentent la route, un gyrophare balaie les labours. Le véhicule de police, moteur au ralenti, stationne en travers du chemin de terre. L'attention du directeur se porte sur une forme blanche, fantomatique, qui court au milieu d'un champ. Schlomo ! L'enfant va, pieds nus, enveloppé dans un drap, comme dans la *shämma* traditionnelle des Ethiopiens. Deux policiers sont à ses trousses, tout près de le rejoindre.

Le directeur s'élance, suivi du psychologue. Ils s'engagent dans les sillons, ils courent, trébuchent et parviennent enfin à hauteur des policiers. Le gosse est maintenu à terre, poignets dans le dos, maculé de poussière, les mâchoires serrées, les yeux exorbités.

— Lâchez-le ! hurle le directeur. C'est un enfant, vous le voyez bien, il n'a que neuf ans...

Schlomo ouvre les paupières. Il est allongé dans un lit, à l'infirmerie ; fichée dans son bras maigre, l'aiguille d'une perfusion le nourrit. On lui administre des calmants. Son regard glisse vers le plafond, puis erre du côté de la fenêtre. Le jour se lève.

Pendant ce temps, l'équipe pédagogique au complet discute du cas Schlomo dans le bureau du directeur. Les traits sont fatigués, mais le ton passionné, les réactions à fleur de peau.

—Je veux une solution ! crie le directeur. Ce gosse a marché douze kilomètres pieds nus, douze bornes ! Et il n'a que neuf ans...

L'homme a la mine des mauvais jours, il n'oublie pas la fillette de onze ans qui s'était pendue dans la salle de sport, cinq ans plus tôt. Un suicide dont il n'avait pas su discerner les signes avant-coureurs. Pendant toute une année, le directeur n'avait pas fermé l'œil, son épouse, ses amis, ses collaborateurs l'avaient dissuadé de démissionner. Tous se sentaient responsables de leur manque de vigilance. Le directeur accrocha la photo de l'enfant dans son bureau, comme un rappel incessant de sa faute.

Un enseignant intervient :

— Schlomo est de ceux qui parlent le mieux l'hébreu, il est très attentif, passionné, c'est l'évidence, mais il n'exprime rien, pas un seul mot. Il apprend avec fougue, hargne même, et il ne semble se permettre aucune erreur. Je ne sais pas si cet investissement est bon, mais en tout cas j'ai rarement vu ça...

Un jeune rabbin prend la parole à son tour :

— Il n'a plus personne, ne l'oublions pas, je crois que nous devrions lui donner du temps...

— Non ! On n'a pas le temps, le coupe le directeur, je veux une solution. La solution, maintenant !

Une monitrice hasarde :

— Il a peut-être besoin d'un encadrement plus strict, d'un espace où il serait mieux contrôlé... Je peux téléphoner à l'école Eichel Avraham, ils ont peut-être une place.

— Il n'a vraiment plus personne ? s'interroge le rabbin à voix haute, pas un seul parent, une tante, un grand-oncle, que sais-je ?

— Personne ! lâche le directeur, visiblement excédé. Et ceux de son village d'origine qui vivent en Israël n'en veulent pas. Nous nous sommes déjà renseignés.

Le psychologue temporise :

— Je vous demande quelques secondes de réflexion. Ce qui s'est déroulé la nuit dernière est grave, mais classique. Qu'a-t-il donc fait, cet enfant ? Il a fugué, pieds nus, vêtu d'un drap, à la manière des Ethiopiens. Où donc allait-il ? Souvenez-vous, il se dirigeait vers le sud... Le pays de ses origines, l'Ethiopie. Pourquoi ? Nous savons que sa mère est morte en lui tenant la main, voilà moins d'une semaine. Mentalement, Schlomo tente de rejoindre sa vie antérieure, là où les siens, ses frères, ont disparu. L'Ethiopie. Je ne crois pas que la solution consiste à trouver une autre école, qu'elle soit plus douce ou plus sévère, cet enfant tente de redonner vie à sa mère, aux siens. Et en retournant vers sa mère, il remonte vers le passé. Mais il reste que nous sommes incapables de l'aider, incapables de redonner sens aux images qui l'habitent. Cet enfant se consume de désespoir...

— C'est bon ! intervient le directeur. Je sais ce qu'il me reste à faire.

6

L'adoption

On avait dansé jusqu'au lendemain midi. Nul n'avait envie de se séparer, personne n'avait le cœur à partir. Yoram, le plus beau garçon de la ville, épousait sa princesse Yael. Un conte. Les initiales de leurs deux prénoms étaient brodées sur les kippas, imprimées sur les sachets de dragées, « y » comme les youyous lancés toute la nuit, comme les *yalla* scandés jusqu'à l'extinction des voix. Cheveux bruns, peaux cuivrées, elle, d'une famille tunisienne, lui du sang des Egyptiens d'Alexandrie, fiers, bouillonnants, ténébreux tous les deux. Yoram, le beau gosse informaticien, un « m'as-tu-vu », toujours tiré à quatre épingles, homme aux mains d'or, qui réussit tout ce qu'il entreprend, grand cœur, généreux, sous l'étoffe du faux dur, grande gueule souriante. Yael, réfléchie, cultivée, mais espiègle et drôle, une Carmen de Tel-Aviv, mère juive avant l'heure, tendre et forte.

Douze ans ont passé depuis le mariage. Douze ans de lumière. Ils ont deux enfants, Tali, dix ans, et Dany, leur « Chouchou », sept ans. Yoram anime une société informatique prospère. La boîte occupe le septième étage du premier immeuble de verre construit dans la capitale israélienne. Il conçoit des logiciels, commerce avec des Américains, des Norvégiens, des Allemands, des Argentins et des Canadiens. Jeune fille, Yael était la gérante d'un magasin de haute couture, elle a abandonné son métier, convaincue par Yoram de reprendre des études de droit tout en s'occupant des enfants. Au fond, l'époux était inquiet, un peu jaloux des nombreux clients qui accompagnaient leurs femmes dans cette boutique chic. Courtisée, Yael n'est pas infidèle. Yoram est son homme. Lui se pense d'abord comme chef de famille, celui qui veille sur le clan, qui trime pour le bien des siens. Un tel engagement justifie sa fatigue. Le soir, après avoir embrassé sa femme et ses gosses, il aime s'étendre dans le canapé. Yoram est très « bouquet », aussi rentre-t-il souvent à la maison les bras chargés de fleurs. Une fois les gosses au lit, après dîner, Yoram redevient disponible, drôle. C'est un amant passionné, attentif. Yael l'aime comme il est, son genre viril lui plaît, il reste le Yoram de sa jeunesse, elle est séduite par l'infatigable militant de gauche, d'une énergie sans bornes, rempli de bon sens, un rien simpliste souvent, mais intègre.

Aujourd'hui, ils sont tous les deux assis dans le canapé vieillot, aux ressorts détendus, qui trône dans l'antichambre du directeur de la *boarding school*. Ils attendent depuis vingt minutes, main dans la main, en silence, impatients. Ils sont nerveux et consultent leur montre, ils observent les gosses dans la cour, ils lorgnent vers la secrétaire occupée à cacheter machinalement un monceau d'enveloppes.

La porte s'entrouvre enfin, le directeur les invite à le suivre.

— *Shalom !* Entrez, je vous prie.

Ils pénètrent dans une grande pièce, Schlomo est assis sur une chaise métallique, son petit sac de voyage à ses pieds.

— Schlomo, mon enfant, fait le directeur, je te présente tes parents adoptifs, Yael et Yoram Harrari...

L'enfant se lève, sert les mains qu'on lui tend sans prononcer un mot, les yeux baissés. Ses nouveaux parents sourient, mais ils n'osent parler, trop émus. Yoram, gauche, passe sa main sur les cheveux crépus de l'enfant, Yael rosit, elle ressent, instinctive, le malaise de l'enfant.

— Cent douze chevaux, boîte automatique, ça grimpe dans les 180-200 kilomètres heure, et ça ne consomme quasiment rien. Schlomo, c'est une Volvo, la meilleure voiture du monde. D'autres te diront Volkswagen ! Mais ne les crois pas. Tu aimes les autos, Schlomo ?

Dans le rétroviseur, Yoram remarque que l'enfant acquiesce, mais son regard fuit aussitôt, il se détourne sur le paysage verdoyant.

— Si tu veux, tu peux nous appeler papa et maman... On m'a dit à l'école que tu étais très fort en hébreu. Il faudra me le montrer, moi à ton âge j'étais nul, en orthographe surtout.

A côté de son époux, Yael, se retourne vers l'enfant engoncé dans sa doudoune trop grande :

— Regarde ces photos. Voilà Dany, ton petit frère, il a sept ans, et Tali... elle a dix ans, un an de plus que toi. Tiens, prends-les, regarde.

Tassé sur la banquette arrière, Schlomo feuillette les clichés trop rapidement. Il les regarde par politesse, pour faire plaisir. Ces images sont les signes du bonheur : les enfants Harrari à la plage, en vacances, à table, avec des amis, hissés sur les épaules du père, dans les bras de leur mère, maquillés en clowns, dévalant des toboggans. Des gosses heureux, une famille aisée, une existence lumineuse. Il rend les clichés à Yael sans prononcer un mot. La jeune femme a compris, elle a lu dans les yeux du petit l'indécence de leur bonheur. Elle se retourne, range les photos. Au volant, Yoram n'a rien saisi de l'ombre qui a voilé son regard.

La voiture est aux abords de Tel-Aviv, Yoram s'efforce de briser le silence.

— Voilà le stade. Regarde, Schlomo ! Tu pourras courir ici, je t'inscrirai au club, si tu veux. Tu aimes courir, non ?

Schlomo ne répond pas, il le regarde du coin de l'œil, et il pense : « C'est ça, j'aime courir, tu as gagné le gros lot : un Ethiopien champion olympique... » Yoram, enthousiaste, lui désigne maintenant un building.

— T'as vu comme c'est haut, tout en verre ! Regarde, au septième... c'est mon bureau. Tout l'étage ! J'ai une boîte d'informatique. Tu viendras avec moi, il y a un tas de jeux. Tu connais Pacman ?

Yoram fait le guide, intarissable :

— ... A droite, c'est ta future école. Elle n'est pas loin de la maison, tu pourras y aller à pied.

L'enfant ne bronche pas. Son esprit flotte. Il observe, intrigué, le caniche en plastique posé sur la lunette arrière, le chien balance la tête, d'un côté l'autre, de haut en bas, épousant les accélérations de la Volvo.

— Vois, à droite : c'est le marché du quartier, poursuit Yoram, tenace.

Yael croise le regard de Schlomo, ses yeux sont terriblement tristes. Elle comprend que l'enfant n'écoute pas les paroles de son mari, que cette visite guidée l'ennuie, il est au-delà de cette curiosité enfantine. Elle sent chez lui une profonde solitude, et Schlomo se rend compte que cette femme perce ses pensées. Il détourne le regard. Gênée, Yael se retourne elle aussi, puis son regard revient sur lui, il semble dire qu'elle s'excuse de son impudeur. Elle croise de nouveau les beaux yeux noirs qui paraissent l'attendre, comme si l'enfant n'arrivait pas à croire à cette rencontre miraculeuse. Yael et Schlomo s'étonnent l'un de l'autre. Elle ravale ses mots, esquisse un sourire maladroit, un sentiment étrange envahit l'enfant, cette femme ne lui semble pas étrangère, il ne l'a pourtant jamais vue auparavant. De peur qu'elle comprenne les raisons de son mutisme, il baisse la tête. Alors, Yael se retourne, perturbée.

— Regarde, nous sommes sur Dizengoff, persiste Yoram, la plus longue avenue de notre cité. C'est plein de restaurants, de cafés. La plage n'est pas loin. On y va ?

Cinq minutes plus tard, ils longent la grève.

— Voilà la mer ! annonce Yoram, triomphant.

Cette fois, il a tapé dans le mille. Schlomo ouvre de grands yeux, il n'a jamais vu la Méditerranée, Yael voit son émotion, l'euphorie, mais elle n'ose se tourner vers lui. Regard perdu au large, le visage de Schlomo s'est éclairé. Yael perçoit son plaisir.

A présent, la Volvo s'engage dans une rue étroite, bordée d'immeubles de deux à trois étages, dont les façades sont revêtues de grosses pierres claires, taillées à la diable. C'est un quartier résidentiel de Tel-Aviv, composé de ruelles boisées, tout près de l'avenue Rothschild et de la rue Shenkin, la plus commerçante, la plus fréquentée de la ville.

La voiture bifurque dans une impasse, Yoram se gare au pied d'un immeuble. Tandis que les portières claquent, des cris de bienvenue accueillent l'équipage, deux enfants sont penchés au balcon du premier étage. Yoram leur adresse un signe joyeux.

— Papy, papy, viens voir, vite ! Ils sont là !

Un monsieur aux cheveux blancs apparaît entre les deux enfants. Les cris de bienvenue redoublent quand Schlomo extirpe du coffre son sac de sport qu'il serre contre lui, Dany hurle, excité : « Papa ! Papa ! »

Yael se dépêche, elle débouche la première dans l'appartement, alors que Yoram et Schlomo sont encore dans les escaliers.

— Vous m'avez bien entendue, dit-elle aux enfants surexcités : aucune question sur ses parents qui sont morts. D'accord ? dit-elle à mi-voix, très vite.

Yoram fait les présentations, puis le grand-père prend la main de Schlomo.

— Tu es un garçon très bien élevé, Schlomo, c'est bien, dit-il, aimable. Quand j'étais petit, moi aussi je baissais le nez. On m'avait appris qu'il ne fallait jamais regarder les grandes personnes dans les yeux. Ça n'est pas poli, ça peut être interprété comme un affront...

Remarquant l'égarement du garçon, Tali ajoute :

— Tu sais, Schlomo, quand il était jeune, papy habitait en Egypte, tout près de l'Ethiopie.

Le grand-père, tout sourire, effleure les cheveux de la petite fille. Dany, qui découvre le petit bagage de Schlomo, s'étonne :

— C'est tout ce que tu as comme affaires ?

— Dany !

Yoram lui intime l'ordre de se taire d'un seul regard.

— Ben quoi ? J'ai rien dit, s'indigne le gamin, je lui ai rien demandé sur ses parents qui sont morts !...

— Chouchou ! le rabroue sa sœur catastrophée.

Sans transition, la famille convie Schlomo à visiter l'appartement. Yoram, en tête, ouvre les portes, les placards, il promène sa tribu dans le long couloir qui distribue les pièces du logis. On s'agite, on dirait un jeu, même le grand-père est de la partie.

— Ça, c'est ma place dans la cuisine ! lance Dany qui se jette littéralement sur une chaise de bois peinte.

Puis, c'est le salon, vaste, la salle à manger, américaine.

— Ici, tard dans la nuit, les parents et leurs

amis parlent très fort, poursuit Tali, et nous, on doit dormir.

— Moi, je ne dors pas, j'appelle maman, dit Dany.

— Si, tu dors ! Tu t'endors comme une masse, et tu ronfles... reprend sa sœur.

— Je ne ronfle pas ! Je n'entends pas de ronflement...

— Parce que tu dors !

— Je ne dors pas ! crie Dany.

Costaud, petit, trapu, il déborde d'énergie, mais il ne sait s'exprimer sans élever la voix, comme si c'était pour lui le moyen de compenser sa taille, son jeune âge.

Yael les interrompt :

— Là, c'est la chambre des parents, il est interdit de s'endormir dans notre lit...

— La nuit, ils jouent à l'âne parfois : yha, hi yha, hi yha... embraye Dany.

— Chouchou, l'interrompt sa mère souriante. Allez, poursuivons la visite... Voilà ta chambre, Schlomo.

— Avant, c'était la mienne, fait Dany, un rien revendicatif.

Yoram invite un Schlomo intimidé à passer le seuil. Le môme découvre le désert sur un grand poster, au mur, des masques, des statuettes africaines sont disposées un peu partout. Yael, un peu tard, se rend compte du ridicule de la décoration :

— Si tu veux, dit-elle, on enlèvera tout ça. Nous punaiserons les images qui te plaisent. C'est ta chambre, c'est ton chez-toi, Schlomo.

L'enfant ne dit rien. Au milieu de la pièce, debout, doudoune encore sur le dos, sac en main, son regard erre du lit à la fenêtre, grande ouverte sur les ramures des arbres.

— ... Pour toi, Schlomo, c'est notre cadeau à Yoram et moi, fait Yael, d'un ton enjoué.

Tour à tour elle tire du placard un costume neuf sur son cintre, une chemise blanche et des chaussures noires. Souriant, Yoram ôte de sa poche une kippa tissée au crochet, qu'il déplie et plante sur la tête de l'enfant qui ne quitte pas le costume sombre des yeux.

— Mon cadeau ! J'ai oublié mon cadeau... lance alors Dany.

Il disparaît dans le couloir, pour revenir aussitôt avec une grosse boîte qu'il tend à celui qui est son frère d'adoption depuis quelques minutes. Schlomo n'a pas même le temps de saisir le paquet que déjà Dany en extrait un énorme robot mécanique. Il le dépose sur le sol. L'automate se dandine sur la moquette, lumières clignotantes. Schlomo se tait. C'est au tour de Tali maintenant. Elle tend son cadeau et Schlomo déplie l'emballage, précautionneux.

— Avec le stylo à encre, tu pourras écrire ton journal dans ce beau cahier, lui explique-t-elle, amicale. Tu verras, je t'apprendrai. Moi, le soir, je note tout ce qui m'est arrivé dans la journée, tout ce qui me passe par la tête...

Enfin, le grand-père glisse dans la main du gosse un scarabée taillé dans la pierre.

— En Egypte, chez moi, ça porte chance, dit-il.

C'est alors que la sonnette de l'entrée retentit, puissante. A peine Yael a-t-elle ouvert qu'une créature déboule, la cinquantaine bien entamée, c'est une blonde peroxydée, élégante, soignée, couverte de bijoux, une tornade...

— Bonjour, je passais dans le quartier, alors je me suis dit... Il est où ce petit ? s'écrie-t-elle, avec un fort accent tunisien. Il est venu en bus ? Comment il a fait pour trouver la maison ?

— Maman... Nous sommes allés le chercher en voiture ! l'interrompt Yael, puis, se tournant vers l'enfant : Schlomo, je te présente Suzy, c'est ma maman. A la maison, nous parlons français, c'est notre langue maternelle, comme toi le...

Suzy la coupe, elle vient d'apercevoir l'enfant :

— Qu'il est joli ce petit, qu'il est mignon... S'adressant à lui en hébreu, elle poursuit : Toi avoir pris l'avion ? Toi pas avoir peur ?

L'enfant la dévisage, étonné, tandis que le grand-père, dans le dos de cette dame expansive, se tapote la tempe du bout de l'index. Il signifie à Schlomo que la femme aux cheveux jaunes est un peu dérangée. L'enfant a parfaitement compris les propos débités dans un hébreu à l'usage des bébés... Il hoche la tête, puis il esquisse un oui en inspirant très fort, par deux fois.

— Maman! intervient Yael, courroucée, Schlomo parle très bien l'hébreu...

Mais la mère insiste, surprise.

— Ils parlent l'hébreu en Ethiopie?

Tirant sa fille à l'écart, Suzy chuchote, en français :

— Dis-moi, tu as entendu comme il avale l'air, on dirait un aspirateur! Il est pas malade? Il a l'air bien pâle, je veux dire... noir pâle...

— Il va très bien, maman, lui répond Yael, excédée.

— Tu devrais l'emmener chez le Dr Cohen, dis-lui que tu viens de ma part... Tu verras, c'est un magicien, il fait des miracles tous les jours.

Sans autre préambule, la grand-mère plante son monde et court vers le salon, où les enfants Harrari chahutent sur le canapé.

— Bonjour mes chéris, susurre-t-elle. Vous allez bien? Tenez : j'ai apporté des tas de bonbons.

Puis elle s'assoit, d'autorité, entre Dany et Tali, qu'elle étouffe littéralement :

— Mes chouchous, mes amours, c'est qui votre mamy chérie? C'est Suzy!

Elle se rend compte que le père de Yoram est là. Elle lui lance, un rien sarcastique :

— Tiens, vous étiez là? On vous a prévenu, vous, on vous a donné le droit de venir...

Schlomo observe la smala surexcitée. Chez les

Harrari, on ne parle pas, on crie, les bras s'agitent dans tous les sens, les gestes complètent les phrases, on se coupe sans arrêt, on double les mots de l'autre, comme s'il s'agissait d'une course... Un moment, Schlomo pense qu'ils se disputent, mais il comprend que chez les Harrari, cela s'appelle tout simplement discuter. Pour l'heure, le spectacle l'amuse. Il est tombé dans une famille de fous, et ça n'est pas pour lui déplaire. Il prête l'oreille à cette langue qu'il ignore, le français. Comme il inspire fort à nouveau, la grand-mère s'inquiète. Elle saute sur ses deux jambes.

— Tu l'as entendu ? Crois-moi, Yael, ce petit a de l'asthme. Va trouver le Dr Cohen...

— Je suis sûr que vous avez mille choses à faire, Suzy, intervient alors Yoram, cassant. Les boutiques ferment dans une demi-heure, nous devons faire dîner les enfants, puis les coucher.

Le grand-père vient à la rescousse du fils :

— Je m'en vais aussi, Suzy, prenez mon bras. Je vous accompagne...

— C'est bien gentil, papy, grimace Suzy, le regardant de haut, mais une autre fois peut-être, je vous laisse à mon gendre... Puis elle se tourne vers les petits-enfants, la mine tragique : Bon, je m'en vais, au revoir mes bébés. Je vous ai donné les bonbons ?

Sa fille intervient :

— Oui, maman ! Tu as tout donné. Allez, au revoir.

— Ça va, ça va, j'ai compris, je pars ! Vous ne me verrez plus, je tomberai malade demain et vous serez bien débarrassés de moi...

La tornade Suzy disparaît, oubliant de saluer Yoram et son père. On l'entend toujours ronchonner alors qu'elle est déjà au pied de l'escalier.

Un peu plus tard, l'heure du repas ayant sonné, Schlomo se laisse guider par Tali jusqu'à la table de la salle à manger. Elle l'installe sur sa chaise, sa place attitrée, désormais. Yael apporte un grand plat fumant.

— En l'honneur de Schlomo, j'ai préparé une *ndjéra*, le plat traditionnel des Ethiopiens...

— Beurk ! grimace Dany, méfiant, quand il découvre cette galette de blé, couverte de viande tranchée en fins morceaux.

Yael dépose le plat au centre de la table, sur la nappe brodée, puis elle lance un regard noir à son Chouchou mal élevé. Le plat fume, mais personne ne se sert, ils se taisent, comme s'ils attendaient un signal... Schlomo se demande si ce n'est pas à lui de servir ce plat éthiopien cuisiné en son honneur. Une imperceptible gêne parcourt la tablée. En bout de table, Yoram tente de briser la glace, il est le chef de famille.

— Ecoute-moi, Schlomo, j'aimerais te dire, de notre part à tous, que nous... (Le ton est un rien solennel...) Nous savons tout. Tout ! Voilà, nous préférons que les choses soient claires dans notre famille.

Ils se taisent, gênés, comme s'ils connaissaient la suite du discours. Schlomo comprend chacun des mots. « Ils savent mon mensonge ! » pense-t-il. Mais pourquoi alors l'ont-ils accueilli ainsi, pourquoi ces cadeaux ? Il aimerait disparaître, tout rendre, fuir au bout du monde. Les regards sont braqués sur lui. Alors, il se hasarde, en hébreu :

— J'allais dire...

Il est prêt à avouer toute l'histoire, il est prêt à repartir à la *boarding school*, il est prêt. Il veut se lever de table quand Yoram intervient.

— Non, Schlomo, c'est à nous de prendre les devants ! Nous sommes tes parents, maintenant. Nous comprenons ton embarras, nous avons tant de choses à nous dire. Ecoute, nous formons... Nous sommes, comment dire, une famille de gauche ! Oui, voilà : de gauche ! Yael, papy et moi nous avons éduqué nos enfants ainsi. Papy est arrivé en Palestine dans les années quarante, il a travaillé la terre, dur, dans un kibboutz, le fusil à la main. C'était tout le temps des combats... Israël n'existait pas encore... Mais papy n'a jamais haï les Arabes, il a passé toute sa jeunesse en Egypte avec eux, tu comprends... Et puis, il a toujours aimé, respecté le peuple, ceux qui travaillent et souffrent. Notre famille ne fait aucune différence de couleur, de religion, d'appartenance. Tout comme nous, papy a rêvé, et continue de rêver d'un monde où nous partagerions les richesses ensemble. Voilà qui nous sommes, mon Schlomo, des gens de gauche, tu comprends ? Pas communistes, mais de gauche, simplement.

L'enfant acquiesce, mais il ne comprend pas tout. Pourquoi Yoram fait-il ces détours, pourquoi tant de politesses plutôt que de frapper sur la table, de l'accuser d'être un menteur, de le jeter dehors ? Schlomo tente de parler à nouveau :

— J'allais dire...

Yoram l'interrompt :

— Nous aimons la franchise, la droiture, le respect. Schlomo a peur, la sentence approche. Je dois être franc, Schlomo... Yoram hésite : Aucun de nous... Puis, d'un trait : Voilà, Schlomo, nous ne sommes pas religieux !...

Les visages se tournent vers l'enfant. Les mines coupables attendent sa réaction, Schlomo essaie de coller les mots dans sa tête, de gauche, pas religieux... Qu'est-ce que ça veut dire ? Mais Yoram poursuit :

— Chacun le sait : vous les juifs éthiopiens, vous êtes très pieux, vous avez survécu aux siècles en protégeant le Livre, au péril de votre vie. Vous avez résisté, rêvé de monter à Jérusalem. Schlomo, nous respectons ta différence, mais nous ne croyons pas en Dieu... Aussi, en t'accueillant, nous allons suivre ta prière ce soir, nous allons nous lever et nous répéterons après toi.

Schlomo panique. Pourquoi les blancs le torturent-ils ainsi ? Fausse compassion, sourires contraints, il serait plus simple qu'ils le grondent, le punissent, le chassent comme un imposteur...

Yoram tire la kippa de sa poche et s'en coiffe, les autres sont debout, mains sur le dossier des chaises. Schlomo est seul assis. Ses pensées se heurtent, il serre ses paumes sous la table.

— C'est gentil, bégaie-t-il, mais pas ce soir. S'il vous plaît... faut pas... pas ce soir.

Des regards s'échangent inquiets, Yoram aurait-il heurté l'enfant ? Schlomo aurait-il mal compris les raisons de leur prévenance à son égard ? Tous se rassoient sans dire mot, chacun pense avoir froissé l'enfant.

Le repas touche à sa fin. Yael dessert, aidée par sa fille. Elle a remarqué comme les autres que Schlomo n'a pas touché à son assiette, il n'a rien mangé, pas une seule cuillerée. Yoram fait un signe à sa femme, il signifie « n'y accordons pas d'importance, l'enfant est bouleversé par une telle journée ». A son habitude, Dany ne laisse rien passer :

— Tu n'aimes pas ? Maman l'a raté ?

— ... Mal au ventre, bafouille Schlomo, les bras serrés sur son abdomen.

— C'est ce que je dis aussi, mais ça ne marche pas : papa me force à finir mon assiette, il dit que des enfants meurent de faim en Afrique. Puis, tout de go, changeant de propos : Qui tu préfères ? Mickey ou Donald le canard ?

Schlomo ne sait que répondre. La famille se

mure dans le silence, tous sont habitués aux gaffes de Dany, mais là il fait fort...

— Y a pas de Mickey dans son pays, banane, intervient Tali, exaspérée.

— Alors, quel est ton sport préféré, Schlomo ? reprend Dany, imperturbable. T'aimes le foot ?

L'enfant ose, timide :

— Non, la marche à pied...

Yoram et Yael sourient, moins de l'humour de cet enfant capable de dominer sa tragédie que de la force dont il témoigne sans prononcer un seul mot. Ils imaginent les douleurs, les périls qu'il a vécus. Ils voudraient embrasser ce gosse pour ces quelques paroles, ses premiers désirs, pensent-ils. La plaisanterie signifie « je suis vivant », croient-ils ! Schlomo les dévisage, il s'assure de l'effet de sa blague, il lit de l'amusement, de la fierté dans leurs yeux, la joie du premier échange. La glace est rompue. Il se détend. « Sois le bienvenu, Schlomo », pense Yael en elle-même.

Plus tard, à l'heure du coucher, elle accompagne son dernier garçon à sa chambre. Elle le borde dans son lit, elle voudrait caresser sa joue, l'embrasser, oser un peu de tendresse, mais elle se l'interdit. Schlomo est méfiant, si proche et si lointain à la fois.

— Bonne nuit, mon garçon, murmure-t-elle simplement, si tu as besoin de quelque chose, réveille-moi. Tu vois, notre chambre est juste en face, d'accord? Dors. Je laisse la petite lampe du couloir allumée. Dors...

Les yeux noirs de Schlomo le trahissent, ils sont à cet instant d'une telle intensité que Yael reçoit cet aveu de tendresse.

Dany crie de sa chambre :

— Maman, viens me voir ! Maman !

— Tais-toi ! lance sa sœur.

Yael change de chambre, elle s'assoit au bord du lit de Dany.

— Ce n'est pas parce que Schlomo nous est arrivé que je vous aime moins, vous êtes mes amours adorés. Mais il a besoin de nous, c'est votre frère, maintenant. Allez Chouchou, ferme tes jolis yeux !

— Oui. Mais pourquoi il ne parle pas ?

La tête appuyée sur ses paumes ouvertes, Tali, qui partage sa chambre avec son frère pour la première fois, donne son avis :

— Schlomo a peur.

— Peur de qui ?

— De ta connerie, banane. Elle est contagieuse !

Yael les interrompt :

— Chut... doucement. Il a peut-être peur, mais laissez-lui le temps, tout va trop vite pour lui. Allez, bonne nuit, mes anges.

Les yeux grands ouverts dans l'obscurité, Schlomo a tout entendu ; bien sûr, il ne comprend pas encore le français, mais le ton de Yael signifie qu'ils ont parlé de lui.

Yael a la tête posée sur le torse de Yoram :

— Promets-moi, j'ai peur. Et si ça se passait mal ?

— On le renvoie, pas de problème ! blague Yoram sur un ton faussement solennel.

— Sois sérieux ! Ça changera rien pour nos gosses ? Seront-ils heureux avec lui ? Et si le petit nous refusait...

— Yael, tu vas tellement le faire chier avec ton amour qu'il n'aura pas le choix, il est condamné à être heureux ! Il ira bien, je te le promets. Nous l'aimerons comme Dany et Tali, on fera une grande famille ! Et de gauche... mais pas communiste ! Ils rient. Dany et Tali iront bien, je te le promets !

Yael semble un peu rassurée.

— Je te déteste, amour.

Ils s'étreignent.

Plus tard, enveloppée dans un peignoir chaud, Yael entre dans la chambre de Schlomo, précautionneuse. Il n'est plus dans son lit, il s'est endormi à terre, à son habitude. Alors elle esquisse un geste, mais se reprend, de crainte de le réveiller. Elle s'assoit, attendrie, et elle observe cet enfant, songeant à ce que fut son existence, aux histoires de l'exode, aux horreurs qu'il a supportées. Elle essaie d'imaginer ses parents, leurs visages, elle songe aux terreurs que cet enfant a vécues, qu'il endure encore. Sera-t-elle capable de l'aider ?

Les Harrari sont cinq désormais, mais Dany et Tali admettront-ils cette irruption ? Comprendront-ils la tendresse que ce frère mérite ? Yael redoute que l'équilibre de sa famille en soit affecté. Et si, sauvant un enfant, elle mettait les siens en péril ? Envahie par cette mauvaise pensée, elle se reproche son égoïsme ; mais elle est mère, et que peuvent les bons sentiments à l'épreuve de la réalité ? Sa réalité !

7

La nouvelle vie

Le lendemain, Yael parcourt la ville. Elle doit habiller Schlomo de pied en cap, tee-shirts de toutes les couleurs, bermudas, pantalons, sous-vêtements et chaussures de sport. Il devient peu à peu un enfant occidental.

Auprès de ses copines de classe, Tali vante le nouveau frère : « Il est beau comme un prince africain. » En récréation, Dany, le plus petit des enfants de sa classe, en rajoute, lui : « Schlomo est trop grand, trop musclé, une force de la nature !... Plus personne nous embêtera, maintenant ! »

C'est le premier jour d'école.

Schlomo est présenté à toute la classe par la maîtresse, une grande femme blonde à chignon, au visage sérieux. Les vêtements du garçon sont pareils aux autres, chemise bleu ciel, pantalon bleu marine, l'uniforme des écoliers israéliens. Les yeux baissés, intimidé par tous ces regards braqués sur lui, Schlomo découvre qu'il est le seul noir dans cette classe de blancs. Il est mal à l'aise. L'enseignante l'invite à s'asseoir, puis elle reprend son cours sans préambule. Schlomo aperçoit une place libre à côté d'un garçon qui lui sourit, au cinquième rang, à droite. Il s'en approche. Mais d'un coup, l'élève glisse sur le banc et occupe la place libre, lui signifiant ainsi qu'il est indésirable. La terre se dérobe sous ses pieds, les regards sont tournés vers lui, les enfants ont tous observé la scène. Alors il reste immobile devant le siège occupé... Un interminable moment. S'il pouvait agir, simuler l'indifférence, mais il est paralysé... Il aperçoit des places vacantes au fond de la classe. Il s'installe, seul, il n'embêtera personne. Assise devant lui, une petite blonde aux tresses entortillées de cordons de laine bleue se retourne de son côté, puis elle effleure sa peau. Elle se détourne vivement et chuchote à sa voisine :

— Il est noir ! Ça ne s'enlève pas...

Le temps passe. Chaque jour, Yael attend Schlomo à la sortie des cours, elle est toujours très excitée :

— Alors, c'était bien, mon amour ? dit-elle à haute voix pour être entendue.

Les parents d'élèves, les mères de famille surtout, les dévisagent, méfiants.

Après l'école, Yael et Schlomo font les courses ensemble. Peu à peu, le gosse découvre le rituel de sa mère adoptive. Yael milite au comité de quartier qui se charge d'aider les plus âgés, les vieux isolés. Aussi, chargés comme des bourricots, la mère et l'enfant portent les provisions des vieilles gens qui accueillent la jeune femme comme leur propre fille. Ceux-là sont ravis de l'apparition de Schlomo, cet enfant nouveau venu, toujours silencieux. Le gamin curieux découvre des existences, il scrute l'intérieur des appartements souvent sommaires. Les haltes chez leurs habitués se font plus longues désormais. La présence de Schlomo amuse les vieux, et, depuis qu'il est là, Yael accepte plus souvent le café, la tasse de thé, les gâteaux faits maison qu'on lui offre. Elle écoute ces solitaires privés de conversation et d'affection avec plus d'attention. Schlomo lui aussi écoute, il regarde la télé, joue avec les chats ; parfois, il fait même ses devoirs chez les vieilles personnes si amicales, il devient très vite l'enfant du quartier, l'ombre de Yael. De tous les vieux, Mme Zilberman est sa préférée. Malgré ses quatre-vingts ans, son regard est toujours espiègle, sa parole, animée. Elle est canadienne d'origine, de Toronto, et son accent anglais n'a pas quitté cette belle personne qui éprouve encore la nostalgie des grands espaces et des hivers blancs de son pays natal. Elle a immigré quand son unique fille est morte dans un accident de circulation. Elle s'est habituée, bien qu'elle n'ait pas vu la neige depuis vingt-cinq ans.

— Je me suis dit que cette terre m'était promise à moi comme aux autres, n'est-ce pas ? Alors, pourquoi pas ? répète-t-elle parfois.

A Tel-Aviv, elle a travaillé dans une usine d'emballage jusqu'à l'âge de soixante-dix ans. Elle se réveillait à cinq heures du matin pour prendre le bus à Netanya. Elle rentrait à neuf heures, le soir, et recommençait le lendemain. A Toronto, elle était institutrice, mais à cinquante-cinq ans, pratiquant mal l'hébreu, elle avait renoncé à pénétrer la complexité sociologique des enfants de ce pays-monde, et elle n'avait trouvé aucun emploi équivalent à son ancienne profession.

Mme Zilberman adore les *rogaleh,* ces petits croissants fourrés de chocolat. Hélas, Yael a rarement le temps de faire le long détour par la boulangerie-pâtisserie de Haïm le Turc. Alors, devant la mine dépitée de sa vieille amie, Schlomo court et revient, triomphant, dix *rogaleh* dans un sac. Les yeux de Mme Zilberman sont des soleils, elle l'embrasse et tire la grande boîte de bonbons de sa cachette.

Quand ils sont ensemble, Yael remarque, chose curieuse, que Schlomo prend bien soin d'éviter les bandes blanches peintes sur l'asphalte pour traverser la rue. Serait-ce pour ne pas mâchurer les passages cloutés qu'il croit fraîchement peints ? Mais il ne les saute pas comme le font souvent les enfants, il pose prudemment ses pieds dans les intervalles.

Deux fois par semaine, Yael et Schlomo vont à la bibliothèque. Yael est grande lectrice, « elle dévore », dit-on autour d'elle, à la différence de Yoram qui ne lit qu'un livre par an. Paradoxal, car son père, papy, fin érudit, ne cesse de recommander la pratique de la lecture aux enfants. Il aime dire : « Si tu apprends à lire dans les yeux des gens et dans les pages des livres, tu auras mille vies, Schlomo. Tu deviendras immortel, tu ne seras jamais tout seul. Tu n'as pas idée du nombre d'amis qui t'accompagneront partout, à chaque instant ».

Quand Yael repasse le linge au salon, Schlomo s'agenouille devant la table basse. Il l'écoute quand il l'aide à éplucher les légumes sur une feuille de journal, à la cuisine, et que Yael commente un article pour lui apprendre les choses. Elle lui lit souvent des contes où il est question d'une petite marchande d'allumettes, d'un garçon triste, Oliver Twist, celui de Jean Valjean, de Cosette, d'Anne Frank, du Sioux Winetou l'Indien courageux, de Pinocchio le menteur... Schlomo fait son tour du monde.

Ce matin-là, Yoram accompagne un Schlomo inquiet au premier cours de Talmud-Thora. Ils s'arrêtent devant le portail de la synagogue, et Yoram le coiffe de la kippa. Il l'encourage :

— Vas-y !

Il s'était promis de respecter les convictions du garçon, mais qui aurait pensé que lui, un Harrari, un type de gauche, allait accompagner son propre gamin aux cours de religion... ? Yoram est un homme de parole.

De son côté, Schlomo a peur, il aimerait tant que Yoram se parjure, qu'il lui dise tout de go :

— Allez viens, Schlomo, on s'en fout, c'était une blague ! Allez viens, fils : on va manger des glaces !

Mais non, ce père lui adresse un clin d'œil et le pousse vers sa nouvelle épreuve.

Il traverse la salle de prière où quelques vieux se balancent d'arrière en avant, un châle sur la tête. L'enfant pénètre dans une salle de classe et, à son habitude, il va s'asseoir tout au fond. Sur ses gardes, il observe l'allure imposante du rabbin. Les élèves en rang d'oignon lèvent la main pour répondre aux questions du saint homme.

— Où notre peuple a-t-il reçu la Thora ?

Un petit Shimon répond : « Au mont Sinaï. » Quant à celui qui s'appelle David, il dit très vite que le patriarche Moïse apporta le Livre aux siens. Alors le rabbin s'accroupit drôlement à hauteur des élèves, puis, entre les têtes, il cherche les yeux de Schlomo qui fait tout son possible pour se dissimuler derrière les dos de ses camarades. Il est repéré.

— Schlomo ! L'enfant se lève. Dis-moi, Schlomo, qui est le fondateur de notre culte ?

Il réfléchit, puis il rassemble ses souvenirs :

— Jésus...

Le mot a l'effet d'une bombe. Les visages se tournent vers lui, est-il fou celui-là ? Le rabbin s'immobilise, il se fige. Schlomo perçoit la tension, il comprend que sa réponse est inexacte, mais comment irait-il imaginer qu'elle soit scandaleuse ? L'instinct de survie se réveille, il doit sauver sa peau, demeurer fidèle à sa promesse, alors il maquille une réponse dans un hébreu sommaire.

— C'est Jésus le premier qui... juif, lui... convertit... à la christianisme. A cause de cela... il souffre lui, marche sur l'eau, tend l'autre joue quand on la gifle. Jésus croit être fils de Dieu, seul, alors que tous... c'est bien des frères et sœurs. Sa mère... est sa maman, mais Jésus n'a pas le droit de le dire...

Il achève, couvert de sueur. Transi, il lève le nez enfin, comme s'il appelait l'indulgence sur lui, comme s'il guettait un acquiescement improbable. Les gamins interloqués le dévisagent. Schlomo ne quitte pas le rabbin des yeux. Sous l'effet de la surprise, celui-ci tente un sourire bienveillant.

— Bravo Schlomo... Tu... Tu as raison : toute conversion est... comment dire, une douleur ! Bien souvent, elle est source de malheur.

En fin de cours, le sage le retient un peu.

— Il vaut mieux que tout ce que tu viens de dire reste entre nous. D'accord ?

La nuit, dans sa chambre, alors que la maisonnée dort, l'enfant est assis sous la lampe, à son bureau. Il ouvre la première page de la Thora. Il lit : *Berechit*, la Genèse. Luttant contre le sommeil, il apprend par cœur, il s'efforce de mémoriser le texte qui dorénavant sera son allié, jamais son ennemi.

Un peu plus tard, sur le lit, Schlomo s'adresse à la lune, devant la fenêtre :

— Maman, un matin je me réveillerai, et mes mains seront blanches ! Blanc, tout mon corps... Et je parlerai yiddish comme un vrai juif, comme Mme Zilberman, celle qui perd ses cheveux, celle qui a tant de mal à marcher. Ces dernières semaines, ses pieds ont beaucoup gonflé, maman. C'est moi qui achète son lait et son pain et des *rogaleh*, elle adore ! Elle dit à longueur de journée : *« Oï, oï, oï, mein Gott ! »* C'est ça être un juif, maman !

« Fête des mères », l'inscription à la craie orne le tableau noir. Les élèves dessinent. L'institutrice fait le tour des rangs, un œil pour chacun. Elle découvre des brassées de fleurs colorées, des représentations naïves de femmes, de familles, de cœurs enlacés, mais Schlomo n'a rien dessiné. Son crayon est suspendu sur sa feuille blanche.

— Tu n'as pas commencé, Schlomo ?

— Je ne... A qui l'offrir...

— Mais à maman, mon garçon. Imagine son plaisir, elle sera heureuse. Puis, d'un ton rude : De toute façon, tu n'as pas le choix, c'est un devoir.

Schlomo ne cille pas, son crayon se refuse, il ne peut tracer le moindre trait. Dessiner pour qui? Comment penser à l'une sans trahir l'autre? Schlomo pose le crayon.

— Bien, reprend l'institutrice. C'est toi qui décides. En tout cas, tu quittes la classe, tu vas chez le directeur, tu lui remettras le mot que je vais écrire.

Il range son cartable. Saisissant l'aubaine, les élèves ont interrompu leur travail et bavardent. On se moque de lui, et Schlomo entend des paroles blessantes.

Yael n'est pas là... Yoram la remplace. Il est là, tout seul, à la sortie de l'école. L'enfant s'inquiète :

— Yael est malade?

— Pas du tout, elle va très bien. Mais tu n'as pas l'air content que papa soit là, dit-il en français. Puis très vite il se reprend en hébreu : Excuse-moi ! Tu n'es pas content que je sois venu?

Schlomo acquiesce et lui répond en français :

— J'ai compris! – D'un air de dire : « Je ne suis pas un imbécile. »

Yoram reste interdit. Le gosse, son gosse, lui a

répondu en un français parfait, il retient son étonnement.

— Ah... d'accord... Ça s'est bien passé à l'école, ce matin? Il lui parle en français, en prenant soin de bien articuler. Allez, grimpe dans la voiture, j'ai une surprise pour toi. Tu comprends le mot « surprise » ? Schlomo inspire deux fois. Yoram poursuit : Il y a petite surprise, grande surprise, mauvaise surprise, bonne surprise, mais celle-là, c'est une super bonne !

Après dix minutes de circulation intense, Yoram et l'enfant passent le portail du stade. Le père va serrer la main d'un homme en survêtement, près de la piste d'athlétisme.

— C'est lui, mon gamin, l'Ethiopien dont je vous ai parlé. Dis bonjour, Schlomo...

Chrono en main, l'entraîneur demande à l'enfant de se préparer, puis il siffle le départ, deux doigts dans la bouche. Schlomo court. Dans le mauvais sens... Nouveau sifflet, les bras de l'entraîneur et de Yoram s'agitent, Schlomo comprend. Il s'arrête et repart dans le bon sens.

Yoram a croisé ses bras, tantôt il observe son môme, tantôt le chrono, il attend l'exploit...

Au bout de deux minutes à peine, Schlomo, épuisé, ne court plus, il marche. Navré, Yoram, fixe ses mocassins...

Schlomo revient lentement sur ses pas, il n'a pas même effectué un demi-tour de piste. Le souffle court, un poing enfoncé au-dessus de l'aine, l'enfant marche. L'entraîneur ouvre les bras, désolé...

Père et fils regagnent la voiture. Yoram a passé son bras sur les épaules du fils, pour le consoler. Mais en fait, c'est le père qui est inconsolable. Schlomo se désole de l'avoir déçu.

L'entreprise informatique « Hard Harrari » occupe le plateau entier d'un immeuble, au septième étage.

Assis sur le fauteuil de son père, dans l'imposant bureau directorial, Schlomo découvre les jeux informatiques. Il pianote, heureux, sur le clavier d'un gros ordinateur. Pacman boulotte bonhomme après bonhomme, émettant des sons rigolos, quand l'ordinateur gémit soudain. Le bruit, inhabituel, surprend l'enfant, l'appareil semble rendre l'âme, l'écran vire au noir.

Schlomo, paniqué, crie, en français :

— Yoram, ça cassé !

Le père surgit. Il pianote, agacé, il ne parvient pas à rallumer le gros PC.

— A quoi t'as touché ? Merde, je te l'avais dit...

— Moi pas, moi pas... se défend le gosse.

— Ce n'est pas un jouet !

— C'est toi qui dis : Schlomo jouer...

— C'est ça, fous-toi de moi ! Jouer, c'est pas taper sur le clavier comme un malade. Comment je vais travailler, moi ?

Murad, le collaborateur de Yoram, pénètre dans le bureau à son tour.

—Je ne sais pas à quoi il a touché.

Murad se penche sur l'engin, il presse simultanément trois touches et l'ordinateur se débloque aussitôt. Yoram est soulagé.

— Ça marche ? dit Schlomo.

— Bien sûr que ça marche, répond Murad.

Puis il se rapproche de l'enfant et d'un ton faussement sérieux, il dit, suffisamment fort :

— Ton père est nul, Schlomo, c'est le roi du bogue ! Faut dire que ce matériel date de la destruction du premier Temple. Tu connais Jésus-Christ ? Eh bien, c'était avant... Et son cerveau n'est pas tout frais non plus, faudrait tout changer là-dedans, dit-il, pointant le crâne de Yoram.

Schlomo rit. Il aime ce Murad. Yoram fait les présentations :

— Murad Khelfi, notre génie informatique...

Murad est le meilleur ami de Yoram, ils se sont connus sur les bancs du Technion, l'université d'électronique et d'informatique de Haïfa. Ils sont inséparables depuis leurs années d'études. Le juif et le Palestinien militent tous les deux pour la paix. Ils l'espèrent et font tout pour qu'elle advienne un jour. Si ces deux-là se sont juré fidélité pour la vie, pourquoi deux peuples ne le pourraient-ils pas ? Mais cette amitié n'est pas sans heurts, leurs discussions sont parfois rudes, enflammées. Et cependant, la passion ne met jamais en cause l'essentiel : la profonde estime qu'ils se portent.

— Tu es Schlomo, j'imagine ?

Murad serre sa main. Il s'approche de l'enfant et chuchote :

— Il nous gonfle tous les jours à force de parler de toi. Tu sais, si ton père te fait trop chier, viens habiter à la maison, chez moi. OK ? J'ai plein d'ordinateurs. Et qui marchent !

Schlomo retient son rire, il guette Yoram, car il est inquiet que la plaisanterie ait pu le vexer. Yoram se marre, Schlomo sourit.

8

La conversion

Yael aide Schlomo à faire ses devoirs, en particulier ils travaillent ensemble son retard en lecture, l'hébreu écrit et, bien sûr, le français, la langue familiale. Dany éprouve un peu de jalousie devant cette relation exclusive. Yael a compris les tentatives de distraction dont Chouchou use pour la séparer de Schlomo. Tali, fine mouche, prend le relais de sa mère auprès de son petit frère. L'après-midi, c'est elle qui l'assoit devant ses cahiers de classe, qui le fait travailler dans sa chambre.

Quand Yoram rentre du bureau, il compense à son tour l'indisponibilité de Yael. La famille se réorganise, le père prend en charge les cours de mathématiques de son fils, lui enseigne le fonctionnement fastidieux de l'ordinateur qu'il a installé dans sa chambre. Dany est doué. Il se rapproche insensiblement de ce père à qui il veut ressembler. Tous deux deviennent inséparables, ils se retrouvent « entre hommes » et désertent la maison pour les terrains de foot, les courts de tennis, ou encore pour les gradins des tribunes populaires des supporters de l'équipe du onze, le club Maccabi.

Dans cette nouvelle configuration, Tali est un peu exclue, mais elle n'en laisse rien paraître. Si elle en veut à l'égoïsme enfantin de Dany, dont elle souffre, l'école est son refuge. Meilleure élève de sa classe, elle s'extrait peu à peu du cocon, elle travaille seule, lit beaucoup, se ménage une place singulière aux côtés du couple que forment ses parents. Elle fait tout pour les rendre heureux, fiers. Yael et Yoram, débordés, saisissent mal qu'une autre Tali est en train de s'épanouir à leur insu.

Schlomo s'acharne. La porte de sa chambre est le plus souvent fermée, désormais. Il recopie les textes de ses livres, il dévore les magazines, il a trouvé seul un moyen banal d'améliorer son vocabulaire et sa syntaxe : il utilise son poste de radio comme maître répétiteur. Yael le découvre, une après-midi.

— Qu'est-ce que tu fais ?

— J'apprends à écrire, à parler mieux...

— Mais amour, tu écris très bien pour ton âge...

Il s'entête :

— A l'école, les autres se moquent de mes difficultés, de mon accent.

Yael s'assoit près de lui :

— Ecoute-moi bien : à l'école, les enfants sont souvent bêtes ! Ils t'ennuient ? Tu veux changer de classe, que j'en parle à ta maîtresse ?

Schlomo refuse.

La vie va. A son habitude, Yoram chante souvent à tue-tête les airs tziganes des Balkans. Alors, les enfants s'enferment dans leurs chambres, morts de rire, la tête enfouie sous les oreillers.

Ce jour-là, au retour de la bibliothèque universitaire, Yael embrasse Yoram, puis elle se débarrasse des commissions dans la cuisine. Elle réapparaît au salon, dépose le journal du soir sur la table basse, tend à son mari le courrier du matin.

— Tiens, lis ça. Tu peux t'en occuper, chéri ? J'ai un examen demain...

Yoram lit la lettre circulaire. Il se lève et rejoint Schlomo dans sa chambre. Le môme abandonne sa lecture et lève le nez.

— Demain, Schlomo, on va au bureau de l'immigration, à Jérusalem : on a reçu une convocation pour une visite médicale. Nous quitterons la maison vers sept heures, je dois être à tout prix au boulot à midi. Alors, ce soir, tu te couches tôt, car on se lève de bonne heure. D'ac ?

Schlomo lit la lettre. Visite médicale... Il est angoissé, on lui posera des questions à nouveau, mais cette fois, il sera seul pour les affronter. Il a peur. Zéhava n'est plus là...

La maisonnée dort encore. Dehors il fait noir. Schlomo n'a pas fermé l'œil de la nuit, aussi, à cinq heures, il est déjà vêtu de la tête aux pieds, baskets nouées, doudoune enfilée. Il vide les rayons de la penderie sans bruit, puis il plie soigneusement son linge. Il empile son trousseau sur le lit, enfourne dans le sac de sport les seuls vêtements qui lui appartiennent en propre, le nécessaire qu'on lui a offert au centre d'absorption, le deuxième jour... Son bagage bouclé, il range son bureau et sa chambre. Il a rassemblé sur le lit le robot, tous les cadeaux qu'il a reçus. Il aligne enfin les paires de chaussures que Yael lui a offertes.

Il est six heures et quart quand Yoram toque à sa porte...

— Tu es déjà prêt? Allez, va avaler ton petit déjeuner, on décolle dans une demi-heure. Grouille, bonhomme!

Il n'a pas remarqué l'accoutrement de l'enfant, il n'a pas vu que Schlomo a passé ses vêtements d'immigrant, il ne s'est pas rendu compte que le môme a rangé sa chambre.

A la cuisine, pour donner le change, Schlomo émiette de la mie de pain qu'il répand sur la toile cirée. Puis, comme il s'apprête à commettre un péché, il effleure la croûte de ses lèvres et la lance par la fenêtre ouverte... Il fait mine de rincer un bol ensuite, il le dépose sur l'égouttoir, puis il vide un peu du contenu de la bouteille de lait dans l'évier. Il macule une cuiller de confiture.

La famille se réveille. Yael et Tali remarquent que Schlomo a revêtu ses vilains vêtements.

— Tu as mis ta vieille doudoune, tu as peur d'avoir froid ? s'étonne Yael. Puis, brusquant Tali : Tu as réveillé Chouchou ?

— Il ne veut pas se lever...

— Va le voir !

Tali traîne les pieds, boudeuse.

Yael entrouvre la fenêtre de la cuisine, il fait doux. Elle remarque la tranche de pain dans la cour, en bas, et elle se retourne, en colère :

— Tu fais chier, Schlomo ! Tu ne manges rien. Tu as encore balancé ta tartine ! Mange, fais un effort ! Tu sais ce qu'est un effort ? Un effort, merde...

Excédée, à court de solutions, Yael perd patience pour la première fois.

Schlomo est pelotonné à l'avant de la Volvo. Yoram, prudent, conduit sur l'autoroute en direction de Jérusalem. Son passager est persuadé qu'il fait ce chemin pour la dernière fois, c'est sûr : on va découvrir son secret, on le renverra au Soudan, ou pire, en Ethiopie. Au camp, sa mère ne lui pardonnera jamais ce retour. Schlomo pense à Yael : il aurait aimé lui dire au revoir autrement, il aurait dû se lover dans ses bras, lui demander pardon, la remercier... Au fond, quoi qu'il fasse, il lui manquera toujours une mère. Yoram interrompt le fil de ses sombres pensées :

— Ne crains rien, dit-il, rassurant. Le toubib ne te fera pas de piqûre, c'est une simple visite réglementaire, tu ouvres la bouche, tu montres ta langue et tu respires fort. Ce sera vite fait, allez mon Schlomo, t'as rien à craindre. T'es un petit homme, non ?

Sa main se pose sur la cuisse de l'enfant :

— Un homme !

Il a prononcé ces deux mots en arabe.

Jérusalem, la vieille ville. Le père et le fils grimpent les marches du centre médical religieux. Le vieux bâtiment est cerné d'un haut mur, il est enfoui sous les ramures d'arbres gigantesques.

Yoram s'étonne : le hall d'attente, les couloirs, la réception même ne sont parcourus que par des religieux, des rabbins et leurs assistants. Papillotes, kippas, et pas une seule femme... Installés sur des chaises métalliques alignées le long des murs, des Falashas patientent, convocations dépliées en main. Yoram est le seul blanc parmi tous les visiteurs, et Schlomo, assis à ses côtés, a les sens en alerte.

— Il fait chaud ici, tu es trop habillé. Yoram ouvre la doudoune d'autorité : Ça ira mieux comme ça...

Il remarque alors le sac sur les genoux de l'enfant.

— Pourquoi t'as pris ton sac ?

Schlomo ne répond pas. Yoram l'observe en coin, il découvre la sueur qui perle à ses tempes.

Ils attendent un long moment, quand soudain un employé religieux surgit. L'homme les conduit vers une deuxième salle, où des femmes falashas sont assises les unes à côté des autres. Des Ethiopiens ont pris place en face d'elles. Mal à l'aise, Yoram perçoit une tension, l'inquiétude dans les yeux de ces gens, jeunes et vieux. Il n'aime pas ça.

Un rabbin revêtu d'une blouse blanche apparaît alors et invite Yoram et Schlomo à le suivre. Son minuscule bureau est encombré de meubles d'un autre âge.

— Asseyez-vous, dit le rabbin aimable, avant de prier l'enfant d'ôter sa doudoune.

Son assistant, couvert d'une kippa, semble s'ennuyer sur une chaise, à l'écart.

Le rabbin médecin s'assied et ouvre le dossier posé sur sa table :

— Ainsi tu t'appelles Schlomo ? Parle-moi un peu des tiens. Salomon, c'était ton nom d'avant, c'est ça ? L'enfant se tait. Qui étaient tes parents ? Parle-moi de tes aïeux ; as-tu reçu une éducation religieuse au village ?

L'enfant se tortille sur sa chaise, les yeux baissés. Yoram est inexplicablement sur ses gardes, son regard se pose sur son fils, puis sur ce religieux bien soupçonneux.

— Je m'appelle Schlomo... Salomon, commence l'enfant.

Sa voix est sourde, monocorde, comme s'il récitait une leçon :

— Mon père s'appelait Isaac... Ma mère Zéhava, mon grand-père Yakov, mon grand frère aussi, ma sœur était Aster, maman est morte à Ashkelon, les autres... dans le désert, au Soudan.

Un sanglot l'interrompt.

— Arrêtez ! Ça suffit ! s'écrie Yoram, excédé. Toutes les réponses sont dans votre dossier, nous avons été convoqués pour une visite médicale, c'est écrit là, dit-il, brandissant la lettre administrative : visite médicale...

Le rabbin claque son dossier, puis il se redresse et s'adresse à l'enfant :

— Nous allons procéder à l'examen, lève-toi.

Le ton est ferme. Comme Yoram s'est levé à son tour, il lui lance, tranchant :

— Si vous voulez bien l'attendre dehors...

Yoram esquisse un sourire pour rassurer Schlomo. Troublé, il rejoint la salle d'attente.

L'assistant recouvre le matelas molletonné de la table d'examen d'une feuille de papier blanc, tandis que Schlomo s'approche, tremblant. Le rabbin brusque l'assistant :

— Baisse-lui son pantalon !

Schlomo s'abandonne. Le type descend son

pantalon de survêtement et son slip. Schlomo semble désemparé, une larme glisse sur sa pommette, il s'étend. Il ne perd rien de ce qui se passe au-dessus de lui, il voit le rabbin en blouse saisir une lame courte et pointue.

— Pardonnez-moi... baragouine l'enfant, apeuré.

Yoram patiente, les nerfs à vif. Les échos d'une vive discussion dans un cabinet d'examen tout proche lui parviennent, puis des cris, suivis d'un grand vacarme de meubles bousculés, de voix furieuses. Tout à coup, heurtant le mur, deux portes claquent violemment. Des Ethiopiens surgissent, effrayés, leurs frusques à la main, à demi dévêtus. Yoram aperçoit un petit bassin, c'est un *mikvé*, le bain rituel...

— Sauvez-vous, fuyez, mes frères ! crient des Ethiopiens, hors d'eux. Ils veulent nous convertir !

On se bouscule. Comprenant soudain le sens réel de cette prétendue visite médicale, Yoram se fraye un passage de force.

— Baignez-vous ! C'est la loi ! ordonnent des religieux vêtus de noir.

— Honte sur vous ! hurle un vieillard revêtu de la toge des Beta Israel, ce n'est pas une piscine, c'est un *mikvé*, honte sur vous, nous sommes des juifs comme vous ! Ils ne respectent pas notre foi, fuyez, mes frères !

Fou de rage, Yoram se précipite vers le cabinet d'examen où il a laissé Schlomo. Il y découvre le rabbin, un bistouri dans la main, penché sur le bas-ventre de son enfant en larmes. Il repousse les deux hommes sans ménagement :

— Salauds, ne le touchez pas ! Pousse-toi, je te dis !

Il prend Schlomo dans ses bras, attrape ses vêtements épars, le sac de sport, puis il fonce vers la sortie, porté par le flot de la foule paniquée. Falashas hommes et femmes surgissent de tous côtés, bousculant les assistants qui tentent d'endiguer leur révolte. Yoram habille son fils en hâte, il le prend par la main et l'emmène vers le jardin. Imitant les fuyards, le père et le fils escaladent le muret et sautent dans la ruelle attenante. Yoram hurle :

— Cours, Schlomo, cours...

Des grappes de Falashas s'égaillent dans les rues adjacentes.

Sur la route du retour, dans la voiture, Schlomo, meurtri, se tait, son sac sur les genoux.

— Tu es mon fils, Schlomo ! écume Yoram. Il frappe violemment le volant du poing. T'es juif ! Personne ne te touchera, jamais plus, tu es mon fils ! Tu comprends : mon fils...

Il presse la main de l'enfant dans la sienne.

Le même soir, la famille Harrari, rassemblée au salon devant la télévision, découvre les images de la manifestation des Ethiopiens devant la Knesset, le Parlement israélien. D'autres font le siège du Grand Rabbinat de Jérusalem. Huit Falashas ont entamé une grève de la faim.

Encore choqué par la scène du matin, Schlomo regarde l'écran, mains ouvertes entre ses cuisses serrées. Les manifestants défilent sous le commentaire off du journaliste : « Humiliés par le rabbinat qui tente de les convertir au judaïsme, les Ethiopiens occupent la rue depuis le début de l'après-midi. Les Beta Israel dénoncent les religieux qui ont tenté, le matin même, de prélever une goutte de sang à leur pénis, alors qu'ils sont déjà circoncis, leur suggérant en outre de "se baigner dans une belle piscine"... Les porte-parole des Beta Israel exigent des autorités de l'Etat que leur communauté, héritière du peuple de Moïse, soit reconnue comme juive à part entière, une fois pour toutes. »

Un journaliste interroge un Grand Rabbin. L'homme à la longue barbe blanche explique : « Il ne s'agit pas, comme je l'ai entendu, d'une purification du sang, mais d'une purification du doute. C'est pour leur salut que nous agissons ainsi. Demain, juifs à part entière, les Ethiopiens pourront épouser qui bon leur semble. Ils sont les descendants du roi Salomon et de la reine de Saba, mais la princesse africaine n'était pas juive, or, selon la tradition, on est juif par sa mère... »

L'édition spéciale se poursuit. Soudain, Schlomo sursaute : à la tête de la manifestation, il reconnaît le vieil homme enturbanné, le Qès Amhra, le chef religieux qui s'était adressé à la communauté depuis l'estrade du réfectoire, le premier jour de leur arrivée au « centre d'absorption » ! Un journaliste le presse, micro tendu. Du bout des lèvres, Schlomo lit l'inscription au bas de l'écran. Il répète plusieurs fois : « Qès Amhra, Rehovot ». Le vieux exprime l'indignation de son peuple : « Notre appartenance au peuple juif a été reconnue par le Grand Rabbin Youssef Ovadia, en 1973. Voici sa lettre, celle qui permit notre *alya* et le déclenchement de "l'Opération Moïse" par notre gouvernement. On prétend maintenant que nous ne serions pas assez juifs ! Alors, si nous ne le sommes pas, à quoi bon tous ces sacrifices ? Pourquoi aurions-nous payé un si lourd tribut en prenant la route pour la Terre promise, pour Jérusalem ? La mort de milliers des nôtres dans le désert, dans les camps aurait donc été vaine ? Nous étions persécutés en Ethiopie, on nous accusait d'être juifs, mais ici en Israël, on nous accuse de ne pas l'être ! Là-bas, on nous appelait *buda*, qui signifie « sorcier », ici on nous appelle *couchim*, les nègres... Lors de « l'Opération Moïse », nous avons été relégués au rang de figurants, quand les blancs ont été considérés comme des héros, on a ignoré notre courage, notre volonté, la foi qui nous portait. Ici, nos synagogues ne sont pas reconnues par le consistoire, nos rabbins, les Qès, n'ont pas le droit de consacrer les circoncisions, les mariages, les bar-mitsva et les enterrements des nôtres. Comme vous me donnez la parole pour la première fois, je tiens à rappeler à notre gouvernement que des milliers de juifs attendent d'être libérés des camps du Soudan, où ils meurent. Tant de nos enfants sont seuls ici, en Israël, alors que les leurs espèrent, dans les déserts, là-bas... »

Schlomo s'échappe du salon. Dans sa chambre, il note, fiévreux, dans son journal : « Qès Amhra, Rehovot ».

Le lendemain dans l'après-midi, la famille réunie au grand complet manifeste avec les Beta Israel face au Grand Rabbinat. Shimon Peres, la veille, s'est indigné publiquement : « Il n'existe pas de juifs noirs et de juifs blancs, il n'y a que des juifs ! Israël est l'unique garantie de leur existence ! »

En ce mois de septembre 1985, les Ethiopiens menacent de maintenir leur siège tant que leur judaïté ne sera pas reconnue. La gauche laïque israélienne, leur principale alliée, les kibboutzim, les associations, les syndicats les soutiennent en leur apportant des vivres. Un incroyable mouvement de solidarité s'est levé dans tout le pays. Des « centres d'absorption » du nord jusqu'à l'aéroport international Ben Gourion, les foules se rassemblent en de nombreuses marches de protestation. Les manifestants reprennent les slogans des Falashas : « Si nous ne sommes pas juifs, renvoyez-nous en Ethiopie et au Soudan ! »

La colère des Ethiopiens est profonde, elle exprime leur blessure, la vive humiliation qui les bouleverse, mais le Grand Rabbinat ne recule pas. Des voix autorisées s'élèvent dans la société : « Réglez le problème avant *Roch Hachana*, la nouvelle année juive, avant *Kippour*, la fête du grand pardon ! » Les Ethiopiens sont déchirés : ce serait offenser Dieu que de ne pas observer les fêtes, se soumettre aux autorités officielles reviendrait à nier leur foi originelle. Les Falashas ne peuvent pas reculer, sous peine d'admettre qu'ils ne sont pas juifs... Un médiateur est désigné.

Yoram devient le militant d'une nouvelle cause. Solidaire de son fils, entouré des siens, il dresse le panneau qu'il a confectionné sur un logiciel de sa boîte : « Nous sommes juifs comme vous ! » Les Beta Israel sourient : qu'un blanc revendique d'être juif comme eux leur semble cocasse, mais de bon augure. Et il renverse les termes de la question : pourquoi eux, Falashas, ne pourraient-ils pas juger à leur tour de la judaïté récente des juifs blancs ? Yael sourit à la vue de Tali qui copine avec des gamines éthiopiennes de son âge. Yael ne quitte pas Schlomo des yeux, elle remarque qu'il n'a jamais autant parlé depuis son irruption à la maison ; il se promène d'un groupe à l'autre, engageant la conversation en amharique avec les plus vieux des manifestants : « Qès Amhra est-il ici ? S'il vous plaît ? Viendra-t-il ? » Il n'obtient aucune réponse.

Dany devient insupportable, il proteste, tantôt

il a chaud, tantôt faim ou soif. Il ne comprend pas à quoi riment la manifestation, les panonceaux, les banderoles, ces cris et toujours les mêmes phrases, les mêmes slogans. Il presse ses oreilles et hurle :

— Ça va, ça va, on a compris !

Sa mère le rabroue.

Schlomo s'approche de Yael, et, pour la première fois, il glisse sa main dans la sienne :

— On rentre ?

Puisqu'ils sont ensemble à Jérusalem, Yoram voudrait, avant de regagner Tel-Aviv, faire un détour par le Mur des Lamentations, où Schlomo ne s'est jamais rendu.

Les femmes se rangent dans l'espace qui leur est réservé, les hommes dans le leur. Les Harrari sont au pied du Mur, devant les vestiges du Temple détruit. Alors, Yoram tire un stylo de son blouson, puis il détache deux feuilles de son agenda, il les tend aux garçons.

— Vous allez écrire un vœu, mais vous le gardez bien secret. Regardez-moi : vous le pliez comme ça, puis vous le glissez entre les pierres du mur. Votre vœu sera exaucé...

Les enfants s'exécutent. Ils enfoncent comme ils peuvent le billet bouchonné dans les anfractuosités entre les pierres. Schlomo observe des centaines de messages, des milliers de papiers flétris, jaunis par les éléments. Tout autour, des juifs en redingote balancent le torse et prient à mi-voix.

— Pourquoi il y a tant de vœux, les gens ne sont pas heureux à Jérusalem? demande Schlomo.

Son père adoptif regarde l'infinité de petits papiers pliés comme s'il les découvrait, il cherche la bonne réponse, mais il se rend compte qu'elle n'aurait pas grand sens. Il dévisage Schlomo sans un mot. Intrigué par le silence de son père, Dany lève la tête et le fixe déçu.

Le soir, alors qu'ils sont attablés, Chouchou provoque, à son habitude :

—Je sais ce que Schlomo a demandé, j'ai lu son vœu. Il a écrit : «J'aimerais tant te revoir, maman. »

Schlomo ne réagit pas. Yoram, furieux, se lève, attrape Dany par le bras, et sans que ses pieds touchent terre, il le conduit à sa chambre.

Le gamin crie :

—J'ai rien fait! J'ai rien dit de mal!

Avant de disparaître, il foudroie Schlomo du regard :

— *Couchi*! Sale *couchi*!

Yael détourne le regard, vaincue. Elle redoutait cet instant. Tali, honteuse, se rapproche de Schlomo. Elle prend sa main dans la sienne, sous la table. Schlomo se laisse faire, mais il garde sa main ouverte, refusant cette marque de compassion. Tali semble le supplier, elle serre sa main plus fort. Alors les doigts de Schlomo se referment doucement. Tali sourit, elle a un second frère.

9

Il était une fois

Papy et Schlomo sont confortablement installés dans le canapé, au salon. Ils sont seuls dans l'appartement.

— *Couchi, couchi*... soupire le grand-père.

Il feuillette les pages du Grand Atlas qu'il tient ouvert sur ses genoux, il cherche la section « Afrique du Nord-Est ».

— C'est là, voilà ! Au début de tout, mais ça Dany ne le sait pas, car il n'est qu'un enfant, *couchi* signifiait « noir ». Noir, tout simplement. *Couchi* voulait dire : « celui qui habite l'Egypte », l'Afrique plus exactement. Quand la Thora mentionne le pays de Kouch, elle désigne le continent africain tout entier, mais ça n'a aucune signification péjorative. Regarde la carte, ici... Moi, je suis né à Alexandrie, je suis un *couchi* aussi, un « *couchi* dehors », ce qui veut dire que nous sommes deux. De toutes les façons, tu dois savoir que ton pays,

Israël, n'est composé que de *couchim*. Le dernier arrivé en Israël est toujours le *couchi* du précédent : le Roumain était le *couchi* du Polonais, qui était le *couchi* de l'Allemand ; le Marocain, le *couchi* du Tunisien, et les Yéménites, les *couchim* de tout le monde, avant que les Falashas ne prennent leur place ! Regarde, au bout de mon doigt : quand ton arrière-arrière-arrière-grand-mère, la reine de Saba, traversa l'Egypte pour se rendre en Ethiopie, après sa rencontre avec le roi Salomon, j'aurais pu lui fermer la porte, ne pas la laisser passer... Elle était belle, tu sais... Mais, poursuit papy, malicieux, je ne l'ai pas fait. Tu sais pourquoi ? Schlomo hoche la tête, interrogateur. Je voulais te connaître, Schlomo. Je voulais que tu existes ! On dit quoi à son papy ?

— Merci.

— Bravo.

Mais Schlomo se rebiffe :

— Arrête de me raconter cette histoire, papy. Arrête de me dire pourquoi je suis juif. Est-ce que moi je te rappelle sans arrêt comment tu es sorti de ton bled d'Alexandrie ?

— Un bled ? Qui t'a appris ce mot ? Alexandrie, un bled ? Inculte infâme, noir sauvage ! Viens par là que je te casse la gueule, babouin. Alexandrie, un bled ? La plus belle bibliothèque du monde !

Papy poursuit Schlomo dans le couloir, ils chahutent, rient aux éclats avant de s'affaler dans les coussins.

— Attends, loustic ! Je vais te faire un présent...

Le grand-père réapparaît avec un paquet-cadeau. Schlomo arrache l'enveloppe et découvre un manuel :

— Tu vas me lire ça !

— Mais... je ne sais pas lire l'amharique !

— Justement, tu l'apprendras.

Plus tard, alors que le grand-père a regagné son logis, Schlomo tire le fil du téléphone avec lui et il va s'asseoir sur son lit. Il compose un numéro sur le cadran, puis il parle, à mi-voix.

— Bonjour... J'aimerais avoir l'adresse du Qès Amhra... Q-E-S, ça veut dire rabbin en éthiopien... Amhra, oui, comme ça se prononce, il habite Rehovot...

Le soir, avant de le border, Yael retire l'opercule du tube d'onguent qu'elle s'est procuré chez le pharmacien.

— Laisse-toi faire, amour, c'est une pommade très douce, tu dormiras mieux avec ça.

Yael est préoccupée. Depuis la veille, le visage, les creux tendres des avant-bras de Schlomo sont ourlés d'eczéma.

— Demain, nous irons chez le Dr Littman...

— Il va me poser des questions ?

— Mais non, c'est un médecin, pas un rabbin ! C'est un vrai docteur, un gentil. Un ami. Tu n'as rien de grave, mon chéri, mais je veux qu'il me dise si... j'utilise la bonne pommade, c'est tout.

Yael sourit, mais elle est inquiète. L'enfant ne

mange pas, il s'exprime peu, il encaisse les événements de la vie sans réagir, sans protester, sans jamais pleurer. Et l'eczéma lui ronge le corps. Elle sait ce que cela signifie : la thérapie Yoram, aimer, laisser le temps s'accomplir, n'est plus suffisante. Elle ne peut plus attendre. Elle doit réagir.

Le lendemain, quand il ouvre la porte de sa chambre, Schlomo est prêt pour le rendez-vous chez le médecin. Il a passé son costume et noué ses souliers cirés. La famille l'accueille, stupéfaite. Même Chouchou évite de gaffer... Schlomo a revêtu son armure, elle le protégera, personne ne le prendra plus pour un inférieur. Il ne veut plus répondre aux questions, nom des parents, nom des grands-parents, d'où viens-tu, quelle est ton éducation religieuse. Il est Israélien à présent. Comme tout le monde.

Sur la porte à glissière, une plaque et, sous le nom du Dr Littman, ce mot gravé : psychanalyste.

L'enfant patiente dans la salle d'attente, Yael a tenu à s'entretenir seule à seul avec le praticien. Le docteur vient enfin le chercher. Yael s'efface, Schlomo suit le psychanalyste dans son cabinet.

— Bonjour Schlomo. Alors, il paraît que tu as souvent mal au ventre ?

Avant même que Littman s'installe derrière son bureau de verre, l'enfant tire de la poche de son veston le manuel d'amharique que son grand-père lui a offert. Il l'y dépose.

— Ce n'est pas moi qui ai mal au ventre... C'est le livre...

— Tiens donc ! Pourquoi le livre aurait mal au ventre ?

— Parce que personne ne l'ouvre...

Le psychiatre réfléchit un peu, puis il s'adresse gentiment à l'enfant.

— Fais-le, Schlomo, ouvre-le...

— Je ne peux pas, je ne sais pas lire l'amharique...

Quand il le reconduit dans la salle d'attente, un peu plus tard, le Dr Littman prie Yael de bien vouloir le suivre.

— Vous l'avez bien compris, Yael : votre fils s'exprime par métaphores, il se réfugie dans des codes spécifiques. Il ressort de l'entretien qu'il pense que ceux qui l'entourent sont incapables de lire en lui. Comme si sa psyché, ses pensées nous étaient indéchiffrables... Il a peut-être raison : ce dont il se souvient, ce qu'il vit, ses traumatismes se bousculent, trop de sens contradictoires se heurtent en lui sous une forme qu'il ne peut exprimer. Nous avons affaire, je crois, à un ensemble de codifications... culturelles que je saisis mal. Je me trompe peut-être, mais je crains de ne pas être la personne indiquée pour l'aider. Je vais vous adresser à un confrère qui travaille la psycholinguistique. J'en connais un, ancien de la fac, spécialiste dans ce domaine. Disposez-vous de données précises sur son état général? Avez-vous consulté un pneumologue?

— Lors de son arrivée au centre, ils ont procédé à un examen général, j'ai le dossier à la maison. Mais ils n'ont rien trouvé de suspect. Pourquoi?

— Rien de bien grave, Yael, mais comme vous, je remarque un léger sifflement de la respiration. Par précaution, il serait bon de procéder à un examen approfondi.

Yael acquiesce. Depuis qu'elle a recueilli cet enfant, elle redoute que les conditions de vie dans le camp soudanais n'aient altéré sa santé.

En moins d'une semaine, elle fait pratiquer toutes les analyses possibles : examen sanguin, radiographie des poumons, de l'abdomen, prélèvement d'épiderme... Schlomo n'a jamais vu autant de murs blancs et d'hommes blancs habillés de blanc, une offense à sa couleur. Quatre jours durant, Yael n'a pas fermé l'œil. Elle n'a évoqué aucun de ses tourments, elle ne s'est même pas confiée à Yoram. Elle se surprend à invoquer Dieu, cela ne lui est jamais arrivé, pas même lors de l'accouchement difficile de Tali.

Le généraliste, une pile de radios et de résultats étalés devant lui, tend le compte-rendu dactylographié à Yael :

— Tout va bien. Soyez sans crainte, madame. Tu es un garçon solide, Schlomo, tu n'as rien. Votre fils est un costaud, dit-il, tendant la main à Yael qui tente de réprimer son rire tandis que ses yeux se mouillent.

Elle serre l'enfant contre elle.

— Je te l'avais dit, tu vois : rien ! Tu n'as rien !

Pour fêter l'événement, Yael lui offre un cornet de glace, puis ils se promènent tous les deux, ils font du lèche-vitrine et achètent quelques babioles. La vie recommence. Une fois de plus, Yael remarque que son fils prend garde de ne jamais poser le pied sur les bandes blanches du passage piéton.

Alors qu'ils quittent la boulangerie de Haïm avec un sachet de *rogaleh*, Yael est traversée par une évidence :

— Schlomo, nous allons apprendre l'amharique ! Nous allons ouvrir le livre ensemble, tu veux bien ?

Schlomo ne répond pas. Il se renferme dans son mutisme. Yael a le sentiment que la porte est close à nouveau. Ses traits s'assombrissent.

Yael est seule dans la cuisine, Schlomo fait ses devoirs dans sa chambre. Elle épluche des pommes de terre et les légumes du potage qu'elle a promis pour le dîner.

Et si Schlomo souffrait d'une maladie rare, pense-t-elle, et si la science médicale était impuissante à déterminer une maladie africaine, un virus inconnu ? A l'évidence, la respiration bruyante du gosse cache une affection maligne.

Sans un bruit, Schlomo se glisse dans la cuisine et s'assied face à Yael.

— Je peux te raconter une histoire ?

Yael s'interrompt, elle dépose l'éplucheur.

— Il était une fois un singe, commence l'enfant, un singe heureux qui sautait d'arbre en arbre... Il avait toute une famille, des copains, il connaissait par cœur toute la forêt. Un jour, il est tombé dans un buisson rempli d'épines. Tout son corps a été couvert de piquants qui lui faisaient très mal. Il commence à les enlever, mais très vite il se rend compte que c'est inutile, il y en a trop... Même sous les ongles. Yael, est-ce qu'il doit s'arracher les ongles pour les enlever ?

Yael se sent mal. Elle vacille, elle inspire profondément. Mais elle se reprend, elle se penche et serre Schlomo contre elle. Elle glisse sa main dans ses cheveux crépus. Ils se dévisagent, les yeux dans les yeux. Yael est heureuse d'avoir entendu cette histoire : Schlomo a enfin parlé de lui. Il a ouvert une porte, il tend une clé. C'est alors que Dany, rentré de l'école à l'improviste, surprend Schlomo dans les bras de sa mère. Il éructe, rageur, claque des pieds, crie :

— Merde, merde !

Il se réfugie dans sa chambre et il s'enferme à double tour. Yael l'a suivi.

— Ouvre, Chouchou, je t'en prie ! Je t'aime, amour, ouvre vite ta porte...

— Non ! Tu ne m'aimes pas !

— Je t'aime, Dany...

— Jamais tu ne viens me chercher à l'école, moi !

— Mais tu en as moins besoin, tu sais bien. Et si tu veux... Ouvre, chéri !

Schlomo entend la scène de la cuisine. Alors il déplie le billet qu'il tenait dans sa main. C'est l'adresse du Qès Amhra, à Rehovot.

10

Le premier « oui »

Yael a décidé de conduire Dany à l'école, tandis que Yoram se charge de Schlomo. Avant de partir, il propose à Tali de la déposer en voiture. Elle refuse. Elle a choisi de se débrouiller seule : les parents ont bien assez à faire avec ces deux garçons « à problèmes ».

Yael guette Schlomo à la fin des cours.

Le portail coulisse, et le flot des gosses trop heureux de retrouver cette matinée lumineuse se répand. Yael s'approche. Elle veut embrasser Schlomo, quand le directeur de l'école l'interrompt dans son élan. Il la salue et l'attire un peu à l'écart des autres parents.

— Puis-je vous dire un mot, un instant ? Schlomo, laisse-nous quelques secondes, s'il te plaît.

Inquiet, l'enfant fait deux pas de côté. Le directeur n'a pas l'air très à l'aise :

—Je suis gêné, mais voilà ce que je dois vous dire, madame Harrari... Quelques-unes de nos familles menacent de retirer leurs enfants de l'établissement si Schlomo n'est pas... inscrit dans une autre école. Ces parents redoutent une baisse du niveau de la classe, je sais, c'est injuste et même faux si je m'en tiens à ses excellents résultats. Votre fils est un très bon élève, mais... L'homme détourne le regard... mais... nos parents craignent les maladies d'Afrique...

Les joues de Yael s'empourprent, le sang lui monte à la tête, et la colère gronde en elle. Elle défie les parents qui épient la scène, car tous, bien entendu, attendaient cette mise au point. Elle se rapproche de Schlomo, passe un bras sur ses épaules, et elle explose :

— Ecoutez-moi, bande d'abrutis, ça suffit !

Un silence plombé s'abat sur ce morceau de trottoir, des passants s'arrêtent, observent la scène, un cercle s'élargit autour de la mère et son enfant.

— Mon gosse est le plus bel enfant du monde, vu ? Il travaille aussi bien que les vôtres, sinon mieux, et côté santé, je veux vous dire qu'il se porte à merveille !

Mère Courage tire les clichés des radios de son sac, elle brandit des résultats d'analyses et jette le tout aux pieds des adultes qui assistent, gênés, à ce spectacle.

— Il a des boutons, oui, des boutons d'angoisse ! Car vous n'êtes ni les premiers, ni les seuls à le faire chier. Il n'a aucune maladie, aucune ! Mon fils est en bonne santé. Il est sain ! C'est ce que vous vouliez savoir ?

Sans même calculer le geste, à court d'arguments, elle prend le visage du gosse dans ses mains et l'embrasse. Puis comme une louve le ferait à son louveteau, elle le lèche. Schlomo ne sait trop que faire, il n'esquisse pas un geste. Cette scène est atrocement gênante pour lui : il supporte mal d'être toujours au centre de l'attention générale.

Yael se redresse et retrouve sa contenance. Elle toise l'assistance :

— Schlomo ne quittera pas l'école, dit-elle, fermement.

Se frayant un passage avec brutalité, suivie de Schlomo, elle jure en français, avec un fort accent marseillais :

— *Pacholes !*

Ce qui signifie « connasses » en langue provençale.

Yael et Schlomo, main dans la main, remontent l'étroite ruelle qui conduit à la maison. Schlomo avance, la tête baissée.

Le soir, alors que les enfants dorment, les parents bavardent à mi-voix dans leur chambre.

Yoram murmure :

— J'aurais aimé être là pour voir leurs tronches, ma tigresse. Tu veux bien lécher mes boutons ?...

— T'es con, Yoram...

Il sait que les pensées de Yael battent la campagne, il la connaît par cœur. Il sait comme elle a dû se rebeller, il sait la violence qu'elle a dû ressentir. Il aime sa lionne, c'est la meilleure femme et mère du monde, il est un mari comblé.

— Tu as fait ce que tu devais, Yael, mais écoute-moi : laisse Schlomo se débrouiller, laisse-le déplier ses ailes, il n'y a rien à craindre, ce môme sait combien nous l'aimons. Demain, il ira seul à l'école, d'accord ? Fais-le. Pour lui, s'il te plaît.

— C'est un gamin...

— Arrête, il a neuf ans. Nous avons habitué Dany à se débrouiller seul très tôt. C'est lui que les autres mômes doivent respecter maintenant, pas toi.

Le lendemain matin, cartable au dos, les mains dans les poches, Schlomo arpente le trottoir. Il traverse la chaussée, prenant garde d'éviter les bandes blanches, les passages cloutés. Yael, furtive, l'observe à distance. Elle n'a pu se résoudre à le laisser livré à lui-même.

A la fin des cours, quand il franchit le portail de l'école, elle le guette de loin. A peine a-t-il tourné l'angle de la rue, à l'abri de tout regard, qu'il s'agenouille, délace ses baskets et ôte ses chaussettes. Il pose doucement ses pieds nus sur l'herbe, comme s'il dégustait l'instant, puis il reprend son chemin, pieds nus, visage offert au soleil, libre, retrouvant des sensations d'enfance quand il ne connaissait pas même l'usage des souliers. Yael l'observe. Elle comprend la nostalgie qui relie ce petit bonhomme à sa terre, aux odeurs du passé, au pays, aux siens. Elle ressent combien il doit lutter pour ne pas perdre cette mémoire, elle sait sa solitude.

A quelques pas de l'immeuble, Schlomo nettoie soigneusement la plante de ses pieds, enfile ses baskets, empoche ses chaussettes.

L'après-midi est bien entamé déjà, lorsque Yael s'enfonce dans les ruelles de Rehovot, une banlieue pauvre, à une vingtaine de kilomètres de Tel-Aviv. Elle conduit lentement dans les embarras provoqués par le déchargement des camionnettes garées à la diable. Les trottoirs sont encombrés d'une foule orientale, joyeuse. On grignote sur le pouce devant les étals, les femmes marchandent, goûtent un abricot, crachent un noyau d'olive.

Les Africains d'Israël se sont installés dans les banlieues délaissées de Rehovot et Netanya, mais c'est ici, dans ces rues vivantes, que Yael éprouve la vitalité cosmopolite de son peuple.

Elle abaisse sa vitre et interpelle un jeune Ethiopien :

— Je cherche le guérisseur Melassa. Il habite rue Herzel... Vous pouvez m'aider, s'il vous plaît ?

— Le guérisseur Melassa ? C'est la deuxième rue à gauche, tu verras madame, il y a un parking au pied d'une HLM jaune. Tu montes au deuxième, c'est écrit Melassa sur la porte.

Le médecin traditionnel est vêtu selon l'habitude des Qès, turban crème et ample toge. Répondant à son invitation, Yael prend place à son côté, sur une étoffe tissée, splendide, jetée sur le canapé.

Elle écoute le vieil homme qui ne s'exprime qu'en amharique. Il est traduit en hébreu par son fils, tandis que la maîtresse de maison dépose sur une table basse des assiettes de gâteaux faits maison et des boissons fraîches. Aimable, Melassa répond longuement aux questions qu'elle lui pose, et Yael, concentrée, prend des notes dans son carnet. Elle ose enfin lui demander un dernier avis à propos du conte métaphorique que Schlomo lui a confié :

— Croyez-vous que je puisse l'aider à ôter les épines ? Je suis blanche... Croyez-vous que je pourrais l'aider à guérir ?

Le vieil homme inspire bruyamment, à deux reprises. Le fils traduit :

— Il le croit, il a dit oui.

Yael vient de comprendre que le vieux ne souffre pas d'asthme : il exprime seulement le « oui » traditionnel éthiopien... Cette aspiration de gorge très sonore est la forme de l'acquiescement. Schlomo ne souffre donc d'aucun mal respiratoire...

Au moment même où Yael fait cette découverte, Schlomo passe le portail de l'école. Il observe la rue, puis, dissimulé par le tronc d'un énorme platane, ôte ses chaussures et s'engage sur un tout autre chemin que celui de la maison. Il se dirige vers la gare routière, qu'il aperçoit bientôt. Il presse le pas, puis court, pieds nus, le bras levé à l'intention du chauffeur de l'autobus à l'arrêt de la ligne Tel-Aviv-Rehovot.

Le véhicule collectif s'engage sur la voie rapide. Une dizaine de minutes plus tard, il pénètre la banlieue. Aux arrêts, nombreux, montent des Ethiopiens, exclusivement. Ce sont leurs quartiers ici. Toujours pieds nus, chaussures nouées par les lacets qu'il a passés sur l'épaule, le gamin s'enfonce dans un marché de plein air. Il demande son chemin à une matrone falasha, puis s'engouffre dans l'ombre des auvents, canisses de roseaux, toiles délavées qui protègent les commerces de tissus, les sacs de jute remplis à ras bord de pois secs, d'épices qui répandent des parfums à pleurer. A nouveau, on lui indique qu'il doit emprunter un autre bus vers le nouveau quartier des Beta Israel.

Bientôt, Schlomo trottine sur une vaste pelouse râpée, un terrain vague, où des enfants jouent au foot. Il longe un ensemble HLM comparable à une escadre de bateaux à voiles, tant il y a de lessives à sécher aux balcons et aux terrasses. Au milieu d'un second terrain, lui aussi cerné d'immeubles fatigués, Schlomo aperçoit l'étoile à six branches plantée sur une volée de tuiles rouges qui couvrent une maisonnette blanche. Il se rechausse et traverse un jardinet à l'abandon. Il enjambe un muret de briques ajourées et il se retrouve sur le carrelage d'une entrée couverte. Il frappe à la porte. Fort.

Le Qès Amhra le prie d'entrer. Schlomo avance, timide, dans l'unique pièce étroite qui tient lieu de synagogue. L'enfant regarde ses pieds, il n'ose lever les yeux. Le Qès le rappelle à l'ordre, il lui indique d'un signe impératif la tablette près de l'entrée. Schlomo revient sur ses pas et se coiffe de la première kippa qu'il saisit dans une bannette d'osier. Il s'en veut d'avoir oublié de se couvrir en entrant dans ce lieu saint.

Avec ses bancs laqués, un bahut peint de l'étoile juive, un vieux frigo, une bibliothèque rafistolée, une pile de livres reliés sur le coin du bureau, la théière orientale, les petits verres gravés tous différents, un balai, les ustensiles de la vie quotidienne, les chaises dépareillées laissent supposer que tout ce qui est là est le fruit des dons des membres de la communauté falasha.

Schlomo comprend que le Qès était en pleine lecture à son arrivée, un imposant livre en amharique est grand ouvert sur le bureau. L'homme ôte ses lunettes et accueille l'enfant.

Respectueux, les yeux baissés, Schlomo salue le Qès. Il prend sa main à l'éthiopienne, enserrant le poignet droit des doigts de sa main gauche.

— *Shalom*, Qès. Bonjour. Je vous ai vu à la télévision. Vous êtes bien le seul à parler des nôtres, là-bas. Pouvez-vous m'aider, s'il vous plaît ? Je voudrais écrire à ma mère, mais je ne connais pas l'écriture amharique. Aidez-moi...

Il a prononcé les mots d'un seul trait. Le Qès sourit :

— *Shalom.* Bravo : tu as bien récité ton message. Comment t'appelles-tu ?

— Schlomo.

— Et ton père ?

— Il est mort. Il s'appelait Isaac.

— Ta mère ?

L'enfant hésite, il marque un silence.

— Kidane...

— Kidane ? s'étonne le Qès. Ce n'est pas un prénom juif...

Schlomo trouve la parade :

— Elle s'est convertie avant ma naissance, on l'a obligée...

— Et ton père, Isaac, on ne l'a pas obligé à se convertir, lui ? C'est ça ?

L'enfant acquiesce sans oser lever les yeux.

— De quel village viens-tu, Schlomo ?

— Je ne sais plus... J'étais très petit quand nous nous sommes enfuis du pays. Il ne reste que ma mère à Um Raquba. Qès, aidez-moi à lui écrire, s'il vous plaît. Il faut qu'elle sache que je suis vivant...

Le Qès fronce les sourcils. Il convie l'enfant à s'asseoir face à lui, puis, comme s'il voulait s'accorder un peu de réflexion, il se lève, va vers l'entrée et verse du thé brun dans un verre fumant. Il revient vers la table.

— Ça va te coûter cher...

— Combien ?

— Dix shekels par lettre.

— Je vous les apporterai !

Le gosse est soulagé. Le Qès, interrogateur :

— Tu ne négocies pas ?

Les traits de Schlomo s'éclairent

— Je peux ?

— Ah non, plus maintenant. C'est trop tard !

Schlomo fait la moue. Le vieil homme dévisse alors un gros stylo.

— Je t'écoute, Schlomo.

— Maman...

Le Qès l'interrompt :

— Non ! On ne commence jamais comme ça. Ecoute... Il récite avec emphase : Chère maman, soleil de ma vie... Voilà comment il faut écrire, fils ingrat ! Je t'écoute...

— C'est mieux, c'est vrai : Chère-maman-soleil-de-ma-vie-je-vais-bien-Israël-est-un-grand-pays-j'ai-été-choisi-par-une-famille-de-juifs-blancs-très-gentils-je-vais-à-l'école-je-vais-porter-le-lait-à-Mme...

— Oh-oh ! Doucement, attends, moulin à paroles ! Pas de point, pas de virgule, tout en une seule phrase ?

— Je ne sais pas, c'est vous le scribe.

Le Qès soupire... Le môme a du caractère !

— Bien... Dis-moi la suite.

Schlomo dicte lentement, et le Qès écrit dans un style élégant, déférent. Il s'interrompt quelques minutes plus tard, puis il plie les deux feuillets de papier, qu'il glisse dans une enveloppe de couleur « par avion »...

— Dis-moi l'adresse de Kidane.

Schlomo est désarçonné. Cette question ne l'avait pas effleuré.

— ... Camp des réfugiés, Um Raquba, près de Gedaref, Soudan.

— Bien, fait l'autre. Maintenant, donne-moi ton adresse pour que ta maman te réponde. Où habites-tu ?

— ... Ici. Chez vous, à la synagogue... C'est possible ? Peut-elle m'écrire ici ?

Le Qès ouvre de grands yeux, ce petit Schlomo est pourvu d'un joli culot. Il s'exécute :

— D'accord. Ici.

Quand Schlomo réapparaît à l'appartement, en fin d'après-midi, Yael l'attend, les bras croisés. Il baragouine une excuse :

— J'ai voulu appeler...

— Tu as voulu appeler ?

Yael le conduit vers sa chambre. L'enfant

craint la réprimande, il est tard. Yael le débarrasse de son cartable et le fait asseoir auprès d'elle.

— Schlomo, pose-moi n'importe quelle question dont tu sais que je répondrai par oui...

Il réfléchit :

— ... Yael, est-ce que je parle bien le français?

Elle hoche la tête, appuyant l'affirmation d'une inspiration bruyante. Elle aspire fort, émettant le sifflement singulier qu'elle a remarqué chez Schlomo et le guérisseur. Surpris, le garçon esquisse un beau sourire. Il a compris que Yael fait tout pour se rapprocher de ses coutumes. Rassuré, il se détend. Sa mère cligne de l'œil, puis, à la mode falasha, elle lui serre la main, ses doigts gauches emprisonnent son poignet droit. L'enfant rit, la mère aussi. Yael a réussi.

Plus tard, à la table du dîner, Yoram pose la question rituelle du soir :

— Chérie, ta journée s'est bien passée ?

Yael attendait l'occasion. En fixant Schlomo, elle répond à son mari d'un oui asthmatique. L'esprit ailleurs, Yoram lève le nez, inquiet.

— Ça va bien, chérie ?

Elle inspire une nouvelle fois, bruyamment.

Yael et Schlomo, hilares, partagent leur secret. Les trois autres ne saisissent pas le sens de cette plaisanterie Schlomo émet à son tour un oui asthmatique. Dany imite le cri de l'âne, ravi que le bruit soit admis à table pour une fois...

A son habitude, Schlomo n'a rien mangé. Le dîner touche à sa fin. Yoram s'apprête à desservir, quand Schlomo, attrapant couteau et fourchette, découpe un morceau de poulet. Il commence à mâcher...

La famille se fige. Schlomo observe Yael en coin : c'est pour elle qu'il s'alimente enfin. Yoram lance un signe discret aux autres : que chacun fasse comme si de rien n'était. Emue, Yael prend son visage dans ses mains, elle retient ses larmes. Tali sourit, elle voudrait crier sa joie. Yael sourit, rit. Jamais elle n'a été aussi belle : Schlomo a décidé de vivre.

Vis

11

La smala

Schlomo a treize ans. Les années ont passé. Il est grand pour son âge, son visage aux traits fins s'est allongé. Il ressemble aux gosses de sa génération, seuls ses cheveux crépus le distinguent. Taillés en boule, comme ceux d'Angela Davis ou de Michael Jackson. Sa peau, très sombre, est devenue douce et lisse, alors que ses copains sont dévorés d'acné. Le petit homme a mûri. Quand les autres chahutent, qu'ils se racontent des histoires de gamins, Schlomo garde une certaine distance. Beaucoup le méprisent parmi les gosses ; pour eux, son silence atteste sa niaiserie. Mais Schlomo n'a que faire des futilités. Parfois, pour remercier ses hôtes de l'avoir invité, il risque des points de vue incompréhensibles, décalés. Il le sait, on le traite de con, il est souvent hors sujet, on le dit sous-développé mental. Il s'enferme dans son mutisme, bâtissant ainsi son monde intérieur. Mais, secrètement, il rêve d'être conforme.

Schlomo regarde moins le sol, il a relevé le visage. La tête haute, c'est un jeune homme beau, fier. Et s'il juge ses condisciples, il ne les craint plus. Les filles de l'école lui ont taillé une réputation de « bon coup », mais aucune ne s'est jamais aventurée à lui proposer d'aller voir un film, ou bien de piquer une tête dans la mer, sur l'une des plages de Tel-Aviv, une fin d'après-midi.

Seul noir de l'établissement, il étonne toujours. Certaines filles se vantent de l'avoir embrassé, mais ce ne sont que des rêves, le jeu de la jalousie entre copines. Schlomo sait ce que les filles pensent de lui, mais il n'en dit rien, ce n'est pas son problème.

Lors de ses treize ans, le passage au statut d'homme, Schlomo, élégant comme un astre, va fêter sa bar-mitsva. Yael et Yoram lui ont offert son deuxième costume.

Les Harrari sont réunis au complet. Grand-père et mamy Suzy, le frère de Yael, l'oncle Dan, l'armée des cousins, des tantes et des oncles à l'accent de Marseille, de Tunis, de New York et d'ailleurs... Il y a Murad, le Palestinien, le meilleur copain de Yoram, chez qui, le soir, à la rupture du jeûne de Ramadan, de temps à autre, Schlomo déguste les dattes et les meilleures pâtisseries du monde. Même le Qès Amhra est de la fête, sa barbe plus blanche encore. Il est coiffé d'un magnifique turban de lin et d'un costume traditionnel neuf, commandé pour la cérémonie.

Il y a les amis de classe de Schlomo. Les filles ont forcé un peu sur le maquillage pour apparaître plus mûres.

Ils forment une grande famille, où se mêlent toutes les couleurs du monde. Un clan en fête pour ce grand jour. La bar-mitsva de Schlomo Harrari !

Y a-t-il plus bel édifice que celui-ci ? Tous les bancs de la synagogue sont occupés, les piliers éclatants, les voûtes blanches se reflètent dans les lattes laquées du plafond orné en son centre d'une fresque peinte aux couleurs des perspectives du temple de Salomon. Les cristaux du lustre illuminent cette assemblée endimanchée, mouchetant de lumière les kippas brodées, en velours ou en satin, et les chapeaux de tulle des femmes.

Le rabbin Bismuth, qui accomplit l'éducation religieuse de Schlomo depuis tant d'années – celui-là même qui entendit autrefois de cette bouche qu'il consacre aujourd'hui dire que Jésus était le fondateur du culte judaïque – a même fait tailler sa barbe folle. Malgré des interprétations toujours originales, Schlomo est l'un de ses meilleurs élèves aux cours de Talmud-Thora. Les épaules du rabbin sont recouvertes de son plus beau châle de prière. Schlomo se tient debout sous l'autel rituel, la *bima*, à côté du saint homme.

Il lit le récit hébreu à haute voix, il prie, et tous reprennent le chant du cantor qui le bénit. La synagogue vibre enfin d'un « Amen » à émouvoir les plus mécréants.

Quelques heures plus tard, les nombreux invités sont réunis au restaurant tunisien « La Griba », nom de la très ancienne synagogue de Djerba, l'île des juifs de Tunisie, où, dit-on, Ulysse et les hommes de son escadre firent escale pour s'enivrer des fruits du loto.

Le patron du restaurant, Charles Berrebi, est l'ancien condisciple de Yael en classe terminale. Il a espéré de longues années épouser la belle de Tel-Aviv. Les parents de Charles, nés rue de Paris, à Tunis, avaient convaincu Suzy et son fils aîné, Dan. Ne restait plus qu'à obtenir le consentement de la fille, Yael, qui, hélas, se morfondait déjà pour Yoram, le champion de volley-ball.

Bref, Yael épousa Yoram, et Charles partit vivre une année chez son oncle Robert, à Brooklyn, pour éviter la dépression... Rentré à Tel-Aviv, il se maria avec la grosse Jessica Nakache, fille cadette du fameux homme d'affaires, qui donna six filles à Charles Berrebi, une par an, plus des jumelles, et l'aida à ouvrir le meilleur restaurant tunisien de Tel-Aviv.

Suzy resta très proche des Berrebi, et Charles est redevenu le meilleur ami de Yael. Il a toujours beaucoup de mal à la regarder droit dans les yeux, de peur qu'elle n'y décèle un feu jamais éteint.

Les convives dansent en un grand cercle, les bras de chacun posés sur les épaules des autres, et l'on tourne, tourne, au rythme des chants célèbres dans le monde entier, comme *Hava Naguila.*

Yoram réclame le silence :

— A l'homme qui n'est ici-bas que pour rendre sa femme heureuse !

Il a visiblement beaucoup bu déjà. Il embrasse Yael sous les acclamations, puis il demande le silence à nouveau :

— A toi, mon Schlomo, qui deviens un homme aujourd'hui.

Schlomo tente de le tempérer :

— Yoram, Yoram...

— Papa ! s'écrie Yoram. Papa, tu dois m'appeler papa, maintenant.

Schlomo lui répond, buté :

— Yoram !

Le père, imperturbable, poursuit son discours :

— Un homme né pour aimer, non pour faire la guerre ! Je t'aime, mon fils. Shalom !

Il prend Schlomo dans ses bras sous une tempête d'applaudissements et de youyous.

Les airs des Balkans, la musique préférée de Yoram, soulèvent l'assemblée. Il serre Yael par la taille et relance la danse. Tels sont les peuples de Méditerranée, des fous. De belles élégantes aux bras nus, vêtues de délicieuses robes noires, frappent dans leurs mains, d'autres encore dansent par trois, d'autres enfin tirent sur les pipes à eau.

L'assistance assèche les bouteilles d'alcool de boukha, les liqueurs de datte. Les verres d'orgeat se heurtent, d'incroyables desserts baignent dans leur sirop de sucre, *baklavas* aux noisettes, *samsas* de pâtes d'amandes, *bouzas*...

Yael échappe à son mari, elle se réfugie auprès de Schlomo pour reprendre un peu son souffle. Le Qès s'approche et tend un cadeau à son protégé. Yael, très émue, sait ce que son fils doit au vieil Amhra, son confident, son deuxième grand-père d'une certaine manière. Schlomo arrache le papier.

— C'est ton troisième livre d'amharique ! Il est plus compliqué que le second, tu parleras encore mieux ta langue maternelle.

Yael, qui rencontre le saint homme pour la deuxième fois, le remercie vivement d'être venu à la bar-mitsva. Elle ose :

— Comment avez-vous rencontré mon petit homme ? Ça fait combien... quatre ans déjà...

Schlomo se raidit. Il craignait cette question. A tel point qu'il a hésité longtemps à inviter le Qès à la cérémonie. Devait-il trouver un subterfuge pour éviter sa présence ? Imaginant la peine que le Qès éprouvait déjà à ne pouvoir officier lui-même cette bar-mitsva, puisque les religieux éthiopiens n'y étaient pas autorisés par le Grand Rabbinat, Schlomo n'avait pu se résoudre à le priver de la fête.

Le vieux réplique :

— Nous sommes du même village, Weleka...

Schlomo respire... Yael est alors arrachée par Yoram, le meneur de la fête, qui l'entraîne de nouveau sur la piste.

—Je sais à qui tu penses, Schlomo, murmure le Qès. Elle pense à toi, crois-moi. Elle ne te quitte pas des yeux, elle te voit avec son cœur. Elle est fière de toi; je te le promets, un jour, tu retrouveras ta mère...

Schlomo éprouve le doux poids de la pierre à son cou, sous la chemise de popeline.

— Qès, quand vous étiez enfant, si quelqu'un vous avait demandé de « devenir », que seriez-vous devenu? Que veut dire devenir?

Le Qès n'a pas le loisir de répondre, Tali entraîne Schlomo dans la farandole. S'éloignant, il observe les lèvres du Qès, mais le sage ne sait que dire.

A une table, dans le vacarme, le grand-père copine avec mamy Suzy.

— Sans blaguer, Suzy, vous avez du charme. Vraiment... Même si je ne vous ai jamais fait d'avance. Vous êtes une trop grande dame pour moi, alors que je ne suis qu'un simple paysan.

— Monsieur Harrari, reconnaissez, quand vous êtes venu à la maison, avec votre Yoram, pour réclamer la main de ma Yael, je me souviens bien de vos œillades en coin. Des petits regards, mais explicites...

— Si vous le dites, Suzy. Mais alors, de tout petits...

— *Ouaha!* (qui signifie « j'accepte » en langue arabe) Papy, on ne va pas se fâcher pour ça...

Leur conversation se perd dans les réjouissances.

Dany farfouille sur une table recouverte des présents que Schlomo a reçus. Il repose un rasoir électrique sans fil, puis, l'œil exercé, il ausculte une montre sous toutes les coutures.

— Elle est même pas en or, Schlomo. C'est du toc, elle va te lâcher dans quelques mois. Putain l'arnaque! C'est une Rolex qu'ils auraient dû t'offrir, comme celle de Misha Shapiro...

Tali et Schlomo sont exaspérés.

— Tu nous gonfles, Dany, fait Tali.

— Je sais que tu m'aimes, Chouchou, dit Schlomo. Tu sais quoi? Prends-la, cette montre, je te la donne, je n'aime pas les montres.

Tout proches, Yael et Yoram font mine de ne rien entendre, ils couvent leurs gosses des yeux. Ils écoutent.

— Dany, dit Schlomo, Tali et moi, nous allons t'offrir ton cadeau de bar-mitsva avec un an d'avance. Je te rends ta chambre! Je m'installe avec Tali dans la vôtre. T'es content?

Chouchou n'en peut plus, c'est un bien plus grand cadeau que la montre. L'idée de la lui rendre lui traverse l'esprit, mais il se ravise : donné, c'est donné. Les frères se frappent dans la main, à la manière des basketteurs américains de la NBA. Tali est ravie, quant à Yael, qui a tout entendu, elle est heureuse que cette soirée soit l'occasion de résoudre l'un des plus vieux contentieux entre les garçons. Yoram semble contrarié, pourtant.

— Yael, tu crois que c'est judicieux? grommelle-t-il.

— Pourquoi? répond-elle. Parce qu'il est noir et qu'elle est blanche?

— Bravo! Merci. Non, mais Schlomo et Tali ne sont plus des enfants... A leur âge, la même chambre...

— A leur âge, quoi? Ils sont frère et sœur...

Yoram ne répond rien, mais il n'en pense pas moins.

Les hommes dansent, ils attrapent Schlomo qui tourne avec eux. Il tient son copain Itaï par l'épaule. Essoufflé, celui-ci lui glisse un mot.

— Schlomo, tu dois m'écrire une nouvelle lettre... Ça marche! On s'est parlé hier, elle s'est dégelée. En fait, elle est super-sympa.

Le cercle tourne, les danseurs sautent, jambe levée.

— Pas maintenant, demain, dit Schlomo à Itaï.

— Et plus tard? Quand ça se calmera un peu?

— Non, je te dis demain!

Les premières mesures d'un air éthiopien s'écoulent des haut-parleurs. Schlomo se dirige vers le Qès qui se redresse. Les Ethiopiens dansent, l'un face à l'autre, à la manière du Gondar, au cœur du cercle. Ils frappent des mains. Les convives les saluent. Le pas traditionnel des Falashas est une sorte de dialogue rythmique, où les danseurs, haussant les épaules en à-coups rapides, avancent, puis reculent à pas glissés, une joute de coqs. Ils ont du plaisir à se mesurer, à dialoguer ainsi. L'un répond aux gestes de l'autre, l'assistance est admirative. Les youyous fusent. Schlomo se retire, courtois, laissant la vedette au vieux Qès qui réalise là une étonnante prestation, sa *shämma* virevolte dans le mouvement qu'il accomplit sur lui-même. Les applaudissements reprennent de plus belle. Le Qès s'efface alors devant un Schlomo en bras de chemise qui convie Yael sur la piste. Ces deux-là sont la beauté sur la Terre, ils rient. Le fils longiligne, la mère, robe rouge, une rose grenat dans les cheveux. Ensuite, Schlomo, prince d'Afrique, emporte Suzy, Dany, Yoram, papy, Murad, Charles, le patron du restaurant, sa grosse femme et leurs jumelles dans la danse...

C'est alors que Yael fait taire la musique. Elle se saisit du micro.

— S'il vous plaît ! Ecoutez tous ! Schlomo va vous faire son numéro.

Les fêtards scandent : « Schlo-mo, numéro ! Schlo-mo, numéro ! » Yael répond :

— Tiens, mon amour, prends le micro. Schlomo va vous conter l'exode de ma famille, de Tunis à Tel-Aviv !

Schlomo fait non, il refuse de se commettre devant un si large auditoire, mais Yael insiste. Elle demande le soutien des convives qui scandent fort, de plus en plus vite :

— Numéro-numéro... !

Suzy glisse à Yoram :

— Tu crois que c'est absolument nécessaire? C'est la fête du petit, laissons-le tranquille.

Yoram ne répond rien, il échange un regard complice avec son père.

Schlomo se rend. Il se hisse sur l'estrade et commence son histoire en un français flûté, mêlé d'un double accent délibéré, juif du Sentier et pataouète. Il parle, puisant dans le vocabulaire arabe, la tchatche marseillaise, des mots d'amharique et d'hébreu mêlés, la langue de Babel.

— Il était une fois mamy Suzy et toute sa tribu...

Les invités scandent: « Mamy! Mamy! » Schlomo lui adresse un baiser.

— Ya ha bibi! Ils habitaient à Tounisse (il souligne l'accent), rue de Paris! *Mektoub!* En 1962, la sécheresse cognait grave dans le pays, tou li monde mourait de faim, Mandala, leur vache, s'envolait au paradis, et le gentil Bourguiba prenait le pouvoir, accusant les juifs de la mort des vaches et de la violence du soleil. Alors, Suzy et les siens bouclent leurs valises. Pas énormes à l'époque, elle n'avait pas encore dévalisé Dizengoff. Et ils embarquent sur un bateau, direction : Marseille! Ils quittent Tounisse, laissant maison, meubles, vaisselle, voiture – sans roues –, posée depuis un an sur quatre bûches, mais voitourr quand même. Vache enterrée, ils se précipitent au port pour embarquer sur le premier bateau pour la France, le pays des droits de l'Homme et de nos ancêtres les Gauloises. Présentation de la famille : Suzy, dans le rôle de Suzy ! *Schkoum*, ça veut dire « quoi » en arabe pour ceux qui ne savent pas, vous dormez ? Une ovation, siou plaît !

La fête, debout, acclame Suzy qui fait la modeste, discrète, sourire aux lèvres. Elle se prend au jeu. Schlomo poursuit :

— Yael, dix ans à l'époque et dijà belle, j'te-jure-sur-la-tête-d'ma-mère, belle comme Rita Hayworth, cette conne qui jette ses gants dans je ne sais plus quel film, des gants à deux mille shekels la paire. « Erotisme », on a dit, « Péché », *« Haram »* je crie. Ji crie, parce que ji suiz offisqué ! Bon, puis il y a Dan son frère, tonton Dan ici présent, quinze ans à l'époque ! Déjà dans le *« shmates »*, pour ceux qui ne savent pas, monsieur le Qès et vous autres sépharades, c'i « la confection » en yiddish. Sa maman, Suzy, lui a mis toute la garde-robe dessus, pour qu'y caille pas sur le bateau pour la France, le pauv' petit poussin. A Marseille, il a tout vendu, et il a fait fortune, d'où la marque : « Petit Bateau » ! Il y avait aussi papy Richard, le mari de Suzy, le père de Yael et Dan, louée soit son âme, que je n'ai pas connu. Tout ce que je peux vous dire, c'est que c'était un homme bon, honnête, courageux. A Marseille, ça foire, alors papy Richard, mamy Suzy et la smala décident de se rapprocher de Paris, leur Jérusalem à eux. Entre-temps, papy, big boss recommandé par ses amis de la rue de Paris, à Tunis, a aidé plusieurs entreprises marseillaises à faire faillite... Ce n'était pas par conviction, il détestait les communistes, mais par excès d'amour pour ses employés : il leur offrait à tout bout de champ des voyages à Jérusalem, aux frais de la société. Très peu étaient juifs, mais ils étaient heureux de marcher les uns derrière les autres, derrière papy Richard et son petit drapeau israélien, dans les rues de la vieille ville. Papy, très fier, leur racontait l'histoire du peuple d'Abraham. Les employés s'en fichaient, n'y comprenaient que dalle. Virée de Marseille, la smala atterrit à Maubeuge. En hiver, ce n'est pas la peine d'avoir des idées : elles gèlent dans li cervôt avant même de se faire irriguer par le sang de la création. Mieux vaut hiberner à Maubeuge. Là papy dirige une usine de vitres en faillite. Mamy Suzy ouvre un petit resto Tune : « Au Thé à la Dan ». J'ai longtemps pensé que ça s'appelait « Aladin ». Mamy m'a rectifié : « A la Dan, en l'honneur de mon fils, le frère de ta mère, ton oncle ! Tu me vois appeler le resto Aladin ? Je n'avais jamais vu un seul Walt Disney. Mon Dieu, c'est péché : la tribu perdue d'Aladin... » Un jour, la tragédie arrive : grand-père Richard offre un voyage à Jérusalem à tous ses employés polonais, allemands et misilmans de l'usine à vitres. Ils sont tous tués dans un attentat à Jérusalem, un matin, alors qu'ils forment la file indienne devant leur hôtel : « Les Saveurs de Tunis »...

Schlomo marque une pause, il enveloppe Yael, Suzy et Dan d'un tendre regard.

— Papy Richard était peut-être fou, mais c'était un chic type. Il a laissé toute une bande de fous derrière lui. Seuls ! Deux enfants et une mère ! Suzy ne se laisse pas abattre, elle ne baisse pas les bras, elle se démène, se démerde, travaille double, au resto l'après-midi et le soir, et le matin, elle fait des ménages chez des gens. Elle s'entête : ses gosses feront des études jusqu'au bout ! Ils vivront, ils deviendront !

Il s'arrête, un chat dans la gorge, il croise le regard du Qès :

— Et ils deviennent ! Tous ! Alors, il faut la comprendre mamy Suzy : qu'elle veuille aujourd'hui ne rien laisser dans les boutiques... Elle les a tant regardées à l'époque, sans rien pouvoir s'offrir, sauf son reflet. La vitrine était une frontière infranchissable ! Longtemps, elle a mis sa vie de femme « entre parenthèses », comme on dit. Un beau jour, Suzy apprend que l'Etat d'Israël lui accorde une pension, suite à la mort de son mari dans l'attentat. Alors, toute la smala bouge vers Tel-Aviv. Et pourquoi, je vous le demande ? Pour que notre belle Yael rencontre son vaurien de Yoram, le programmateur-informaticien, pas un avocat, ni un médecin, ni même un infirmier... Quel gâchis ! Tout ce long voyage : Tunis-Marseille-Maubeuge-Tel-Aviv pour finir avec un Egyptien ! Ils auraient pu faire Tunis-Le Caire en direct, c'était plus court, moins cher, et c'était à côté. Aussi, je vous le demande : quand c'est qu'on ira tous à Paris, nouzautres, en Terre promise, sur li Champs-Elysées ?

C'est une ovation. Tout le monde est debout. Papy est ému :

— Quel accent ! Pourquoi il agite les mains comme ça, on dirait Suzy, les bijoux en moins...

— Ne vous moquez pas de ma mère, feint Yael.

— Dieu me garde ! répond papy, la main sur le cœur.

Yael s'est réfugiée dans les bras de Yoram :

— Notre garçon est un vrai juif, condamné à l'humour.

Il est sept heures du matin, c'est encore le petit jour. La famille Harrari est de retour à la maison. Dany s'est endormi, moitié habillé, il a juste glissé son drap par-dessus sa tête. Yoram suspend son costume dans l'armoire, Yael, pieds nus, rejoint Schlomo qui feuillette le livre que lui a offert le Qès. Elle a défait ses cheveux, elle tient ses boucles d'oreilles dans la main. Elle s'assoit sur le lit du fils.

— Amour, j'ai beaucoup réfléchi à l'histoire du singe couvert d'épines. Il ne doit pas arracher ses ongles pour enlever les épines qui sont en dessous, cela le ferait trop souffrir. Mais, tu sais, aidé par d'autres il pourrait, doucement, doucement, enlever celles qui couvrent son corps. Ça le soulagerait un peu. Quant aux épines sous les ongles, il devrait apprendre à vivre avec. Je sais que c'est dur, mais elles font partie de sa vie. Avec le temps, il oubliera qu'elles lui font mal. Un jour, il sera peut-être même fier de ses épines.

Elle embrasse son fils, puis, très tendre, comme pour briser la gravité de cet instant, elle joue.

— Tiens, tente d'ouvrir mon poing...

Schlomo essaie des deux mains, puis, trouvant une meilleure prise, il se redresse, à genoux sur le lit. Yael serre fort : « Allez, t'es un homme maintenant. » Sa main agrippe celle de sa mère, leurs deux poings n'en forment qu'un. Yael résiste, puis leurs doigts s'ouvrent en même temps.

— Je sais que tu gardes en toi un grand secret.

L'enfant se fait fuyant, Yael vient de raviver la blessure. Plus le temps s'écoule, plus la culpabilité augmente, le ronge. Il aurait dû tout dire depuis le début, ils auraient décidé de le garder ou de l'éloigner. Ces gens l'ont accueilli comme leur propre fils. Comment leur expliquer aujourd'hui qu'il leur ment depuis tant années ?

Il a même oublié un moment qu'il n'était pas un juif, il a même espéré leur ressembler... Mais il n'est qu'un imposteur ! Il vient d'accomplir sa bar-mitsva, l'un des actes essentiels de la tradition juive, il a usurpé une identité, une coutume ancestrale qui ne lui appartient pas, abusé de la confiance de ceux qui l'aiment. Il a menti devant Dieu.

S'il dit la vérité, s'il avoue, il risque d'être rejeté, renvoyé en Ethiopie, au Soudan. Alors, il n'aurait pas tenu la promesse faite à sa mère de « devenir » avant d'être de retour, ni le serment prononcé devant Worknesh sur son lit de mort : ne jamais rien dire... Mais ces promesses ne sont-elles pas les faux arguments qui camouflent sa lâcheté ?

Yael comprend, une fois encore, qu'un grand malaise s'est emparé de l'enfant.

— Tu ne dois pas me dire ton secret. Il est à toi. Moi aussi j'ai des secrets... Je crois comprendre que le cœur des Israéliens te semble comme un poing fermé, mais tu sais, on ne peut délier les doigts de l'autre que si l'on ouvre sa main en même temps.

Il a du mal à regarder Yael en face. Elle le câline :

— Bonne nuit mon petit homme. Je suis si fière de toi !

12

Le coup de foudre

— Dis-lui que je l'aime tel Roméo sa Juliette, que ma vie...

— Tais-toi, Itaï ! C'est pas une dictée... Sinon t'as qu'à écrire seul !

Les adolescents se sont installés à l'écart dans une classe vide. Par les fenêtres ouvertes des cris emplissent la salle, une pointe de fraîcheur résiste encore à la chaleur de cette matinée dorée du printemps.

— Elle t'invite à son anniversaire, elle m'a dit, viens avec ton pote.

Schlomo ne semble pas prêter attention à la proposition. Concentré sur sa copie, il s'occupe de la correspondance amoureuse de son ami : une habitude. Il écrit des lettres d'amour à la moitié des filles de la classe au service d'une ribambelle de prétendants, parfois au nom de trois garçons qui se disputent la même... Professionnel, il prend garde à varier son style, empruntant la personnalité de chacun. Aucune des filles n'est au courant de la supercherie. Elles ont surnommé Schlomo « Tarzan ». Elles le soupçonnent d'être « une bête » dans le meilleur des sens, bien qu'il soit un « intello ». Elles le trouvent beau. Chaque semaine, Itaï « écrit » deux lettres à Sarah, la jolie rousse frisée qui suit les cours dans l'une des classes « parallèles » de l'école. Les garçons lui tournent autour, c'est la reine de cette tribu adolescente. Ils sont beaucoup à lui écrire des petits mots. D'autres, malins, courtisent sa mère, espérant atteindre ainsi la fille... Deux élèves se sont même inscrits en cours de théâtre pour la côtoyer, décrocher, qui sait, le rôle convoité de chevalier servant.

Schlomo trouve Sarah arrogante, prétentieuse. Elle fait tourner sa cour de prétendants en bourrique et n'en choisit aucun pour mieux s'en jouer. Elle aime son pouvoir, elle jouit des jalousies qu'elle sème entre les copains. Sarah est une emmerdeuse. Sa meilleure amie, Einat, est folle amoureuse d'Uzi, le plus beau de la bande. Qui ne la remarque même pas, malgré ses soixante-dix kilos pour un mètre quarante-cinq. Uzi n'a d'yeux que pour Sarah, qui lit en compagnie d'Einat ses lettres rédigées... par Schlomo. Le garçon observe ce vaudeville de loin et se dit : « On s'épuise sur des questions futiles : pourquoi la guerre, pourquoi la violence, y a-t-il une vie après la mort, alors que la seule interrogation qui vaille est : pourquoi les filles belles ont-elles souvent une grosse pour copine ? »

Schlomo achève la lettre d'Itaï :

— Bon. Ecoute. Il lit : « Chère Sarah, depuis que je suis parti... »

L'autre l'interrompt :

— Attends, une seconde ! Je ne suis jamais allé nulle part !

— Tais-toi, putain, ça marche ! Ecoute et tais-toi : «... Depuis que je suis parti, tu me manques, tu n'as pas idée combien tu me manques. J'aimerais tant que tu sois fière de moi, j'aimerais ouvrir les yeux un matin, te trouver près de moi, comme si tu avais toujours été là. Notre séparation n'était qu'un mauvais rêve, un long cauchemar. Tous les soirs, je lève la tête et je regarde la lune. Dieu croit que je m'adresse à Lui, mais c'est à toi que je parle et je sais que tu m'entends. Un jour, nous serons ensemble, pour toujours. Tu me manques. Je t'aime... Itaï »

— Putain, Schlomo, où tu vas chercher tout ça ? C'est pas vrai : t'es un vrai écrivain, mon pote. Mais, dis, qu'est-ce que t'as, tu pleures ?

Schlomo referme le cahier de brouillon, qu'il enfouit aussitôt dans son cartable. Il s'est baissé pour dissimuler son visage.

Itaï ne s'y trompe pas :

— Ce sont des larmes, Schlomo, t'es plus ému que moi... Toi aussi tu l'aimes ?

Schlomo se relève, l'air sérieux :

— C'est quinze shekels ! fait-il.

— C'était dix la semaine dernière !

— Cinq shekels de prime de réussite... Sarah est amoureuse de toi, elle t'invite à son anniversaire. Grâce à qui ? A mes lettres ! Quinze shekels. On ne discute pas !

Schlomo dépose cent shekels sur le bureau du Qès. Le saint homme a augmenté ses prix lui aussi, inflation oblige, dit-il... Une fois par semaine, il écrit à Kidane, la mère du gamin. Depuis toutes ces années, jamais ils n'ont reçu la moindre réponse. A se demander si elle est toujours en vie, si elle n'a pas été déplacée dans un autre camp. Mais Schlomo ne se décourage pas : sa mère est vivante, se dit-il, elle attend ses lettres comme de l'eau bénite. Une fois par semaine, il dicte une longue missive au Qès. Il raconte tout, des choses futiles souvent, comme cette recette de Yael, juste pour que sa mère imagine d'autres saveurs que l'éternel bol de riz.

Le Qès dépose des Thora sur les pupitres. Dans quelques heures, les vieux Ethiopiens arriveront à la synagogue pour célébrer l'arrivée du shabbat.

Le Qès regarde les billets que Schlomo vient de laisser sur le bureau :

— J'espère que tu ne le voles pas, cet argent...

— Voler ? Jamais ! Je travaille dur, je lessive les

escaliers de l'immeuble deux fois par semaine, j'aide l'épicier à décharger les livraisons du camion. Mais dites-moi, Qès, sans vous manquer de respect, je vous trouve l'air triste...

— Des instants de mélancolie. Puis, plus bas, comme s'il parlait pour lui-même : Terrible maladie, la nostalgie... Il s'interrompt, songeur : Quel jour sommes-nous Schlomo ?

— Qès, vous distribuez les Thora... C'est vendredi.

— Nous approchons de shabbat et on ne sent même pas le parfum du shabbat... Tu ne trouves pas ?

— Que voulez-vous dire ?

— Tu ne te rappelles pas, tu étais trop petit. Le vendredi, tôt le matin, ça sentait shabbat, l'odeur du pain que les femmes cuisaient, le meilleur de la semaine ! C'est terrible, au pays de la Thora, plus rien n'a d'odeur...

Le Qès s'installe, attrape son stylo et se penche sur la page blanche.

Schlomo a pris l'habitude de verser le thé dans les verres. En signe d'affection, il s'exécute.

—Je t'écoute, fils.

— « Maman... Maman, dis-moi, pourquoi... » Il balbutie, il se reprend : « Je vais bien maman. J'aimerais... faut que... que je sache ». Il dévisage le Qès, « Pourquoi, pourquoi n'ai-je pas le droit de rentrer au pays... »

Le vieil Amhra n'a pas tracé un seul mot, au

contraire, il rebouchonne le stylo et le tend à Schlomo. D'une pichenette, il pousse la feuille vers lui.

— Tiens. A partir d'aujourd'hui, c'est toi qui écris ! Tu en as besoin. Mes yeux ne voient plus très bien. Allez... Il dicte : « Maman, le soleil de ma vie... », tu écris ce que tu veux après.

Schlomo hésite. Il pose la plume sur le papier. Il s'arrête de temps en temps et il observe son vieil ami. Il reprend, en écriture amharique... « ... soleil de ma vie, que dois-je devenir ? Tu m'as dit : "deviens !", deviens quoi, maman ? »

Le Qès lit à l'envers. Il acquiesce, il lui signifie qu'il ne commet aucune faute, qu'il doit persévérer.

Dans la chambre qu'il a récupérée et qu'il occupe seul désormais, Dany pianote sur le clavier de l'ordinateur. Il gagne jeu après jeu. Yoram, à son côté, est devenu son coach :

— Regarde, Chouchou, le raccourci... Là, c'est ça. Comme ça, tu gagnes dix secondes. Tu piges ?

Dans la pièce voisine, Schlomo s'agite. Il fouille son placard en rouspétant, il empile tous ses vêtements sur le lit. Tali, allongée sur le sien, l'observe à la dérobée.

— Je ne sais pas quoi mettre... Aide-moi, Tali.

Elle pose son livre, *Le Joueur,* de Dostoïevski, grand ouvert à la bonne page. Elle se tourne vers

Schlomo, menton planté dans la paume, coude fiché dans le moelleux de la couette.

— Habille-toi simple, Schlomo, simple... un jean et un tee-shirt, c'est tout. T'es invité à un anniversaire, pas à un mariage... Je peux te poser une question ? Pourquoi tu n'appelles pas maman « maman » ?

A la table du salon, recouverte de livres, Yael est plongée dans un commentaire savant de Pascal. Elle a abandonné les études de droit, et désormais se consacre à la philosophie. Elle aime travailler dans la salle de séjour. De ce point stratégique de l'appartement, elle observe les siens. Elle travaille, elle lit, tout en laissant traîner une oreille distraite sur les riens quotidiens qui la rassurent. Elle adore entendre Yoram parler ordinateur avec Dany, Tali se confier à Schlomo, elle apprécie la quiétude de l'appartement, la liberté des siens dans la douceur domestique. Elle préfère leur présence à une salle de consultation en bibliothèque. Elle entend Tali.

— Tu appelles toujours maman « Yael », pourquoi ?

Yael devine Schlomo, refermé comme une huître, farfouillant dans son linge, hésitant entre une chemise Lacoste, un tee-shirt du Manchester United et sa chemise de popeline blanche. Schlomo ne grogne plus, bien entendu, mais il ne répond pas aux questions de sa sœur. Comment le pourrait-il ? Tali a touché le point sensible. Yael comprend Schlomo, elle pense savoir ce que signifie le fait de voir mourir sa mère sur un lit d'hôpital quand on a neuf ans. Ils étaient les deux seuls survivants de la famille. Worknesh était plus qu'une mère, son seul espoir, son lien unique avec la vie. Et ce maillon s'est brisé, soufflé par le vent. Schlomo ne peut pas appeler Yael « maman », elle le comprend. Comment pourrait-il oublier Worknesh, avoir l'impression de la remplacer ? Mais elle aimerait tant s'affranchir du statut d'amie, de mère de substitution. L'entendre prononcer enfin le mot : maman...

Yoram s'écrie :

— Champion, Dany ! Encore gagné, champion !

Elle écoute le glissement familier de ses pas sur les carreaux du couloir, elle attend les lèvres de son amoureux, elles vont se poser dans son cou. Yoram, délicat, soulève ses cheveux, elle sent la tiédeur de son souffle.

— Chouchou est très balèze, chérie. Je l'embauche demain, dès qu'il est prêt à bosser. Avec ta permission, bien sûr. T'imagines le logo : « Hard Harrari & Son ».

Schlomo et Tali l'ont entendu. Elle baisse la tête, ce que son père vient de dire l'affecte.

— Ne t'en fais pas Tali, Yoram t'aime aussi. Tu le sais bien.

— Tu ne piges rien Schlomo, souffle-t-elle tout bas. Je ne suis pas un garçon, c'est mon problème.

Toi, t'es un mec, mais tu es nul en sport, mauvais en informatique, et tu lui résistes, tu l'affrontes, papa déteste ça... Moi je suis une fille !

Schlomo, accroupi, lace ses Adidas, il se redresse, en jean et tee-shirt.

— Ça va ? Tu me trouves comment ?

— Cool ! Parfait !

Schlomo se débrouille comme il peut, encombré par l'énorme paquet-cadeau qu'il tient dans ses bras. En équilibre, héron sur une patte, il parvient à presser le bouton de la sonnette. Un air de disco traverse la porte, la boum bat son plein. Schlomo a changé d'avis à la dernière minute : finalement, il a troqué jean et tee-shirt pour son costume de bar-mitsva... C'est le premier anniversaire auquel il est convié.

Il sait qu'il sera le seul noir de la fête, que tous les regards se tourneront vers lui dès qu'il aura posé un pied chez Sarah. C'est pour s'épargner d'être considéré comme un goujat qu'il a acheté le plus gros cadeau possible, le plus cher... au moins deux mois de lettres d'amour, envoyées certainement aux trois quarts des filles invitées ce soir. La porte s'ouvre brusquement, libérant une musique assourdissante. Dans l'encadrement, un immense bonhomme d'une cinquantaine d'années lui fait face. Le père de Sarah, M. Singer, est tout habillé de noir, kippa sur le crâne, barbe taillée et deux franges dépassant le bas de la chemise.

L'homme pieux est aussi interdit que Schlomo quand il découvre ce noiraud à sa porte, un énorme cadeau noué de faveurs rose bonbon dans les bras. Le regard est dur. Sans prononcer un mot, le bonhomme lui claque la porte au nez. Schlomo, pétrifié, ne se démonte pas : il appuie à nouveau sur la sonnette. La porte s'ouvre :

— Tu sonnes une troisième fois et je te brise le doigt en quatre. Compris ?

— Monsieur, je suis invité à l'anniversaire...

— File. Je ne veux plus te voir !

Et la porte claque.

Sur le chemin de la maison, enragé d'avoir été éconduit de cette manière, Schlomo shoote dans le paquet-cadeau qui s'écrase sur une pelouse, de l'autre côté d'un grillage. Il s'assied sur les marches d'un immeuble et il attend, mâchant, remâchant l'humiliation qu'il vient de subir. Il ne peut pas rentrer tout de suite : Yael s'étonnerait de ce retour précipité, elle lui poserait des questions auxquelles il ne veut pas répondre. Alors, il attend. Vers vingt-deux heures trente, il se traîne vers la maison. Il grimpe lentement les escaliers, la mine sombre. Yael, à la cuisine, l'entend refermer la porte :

— Alors, mon amour, c'était bien ?

— Super.

Puis il file vers sa chambre, sans un regard sur les autres, affalés devant la télé.

Assis sur son lit, Schlomo tente de chasser ses

idées noires. A l'étage du dessus, les voisins se disputent, leurs cris se mêlent au son de la télé qui hurle son programme. Tout à coup, un « cling » le fait sursauter, puis un second choc. D'en bas, quelqu'un lance des cailloux contre les carreaux. Il approche de la fenêtre, intrigué. Sarah, la rouquine d'Itaï, lui fait signe. Elle veut qu'il descende... Au travers de la vitre, Schlomo fait l'étonné : « Moi ? » Elle lui répond par des singeries, genre : « Oui, toi ! Qui d'autre habite cette chambre à ton avis ? Allez, grouille ! »

Tandis qu'il passe un blouson, dans le couloir, il dit à l'intention de Yael toujours à la cuisine :

— Je descends parler deux minutes avec Itaï.

— Pas longtemps, tu as vu l'heure ?

— Oui, pas longtemps...

Singeant Yael, il marmonne : «... ji vou l'ôrr ! »

Sarah l'attend devant le porche de l'immeuble.

— Tu me reconnais Schlomo ? Je suis Sarah, tu étais mon invité.

— Qui t'a donné mon adresse ?

— Itaï. Fallait pas ? C'est un secret, t'es du Mossad ?

— Tu me veux quoi ?

— M'excuser. M'excuser de l'imbécillité de mon père. Il n'est pas méchant, juste bête. Pardon pour lui, et pour moi.

— Ça va, c'est bon.

— Père dit que vous n'êtes pas des juifs, mais des « chrétiens archaïques ». Il pense que vous ignorez tout de la Thora, il dit que vous mouriez de faim en Ethiopie et que vous êtes ici pour fuir la misère. Pas plus, pas moins. Et que vous êtes les plus grands menteurs d'Israël...

— Super ! Et alors ? réplique Schlomo d'un ton sec.

— Schlomo, écoute plutôt...

Mutine, elle tire un walkman de sa poche, elle l'enclenche et lui tend les écouteurs.

— Ecoute-moi ça...

Méfiant, Schlomo fixe les deux cercles de mousse sur ses oreilles et il entend un slow langoureux. Marianne Faithfull. Sarah lui ôte l'un des écouteurs, elle s'approche et elle fredonne tout près de lui. Ils se touchent presque et Schlomo sent le souffle de sa respiration. Jamais il ne s'est trouvé si près d'une fille, une goutte de sueur perle à son front. Sarah sait ce qu'elle fait, elle le frôle, ce pauvre garçon est à la dérive.

— Tu me fais danser ?

Sans attendre la réponse, elle pose ses avant-bras sur ses épaules et l'enlace. Ils dansent, collés l'un à l'autre. Comme il reste bras ballants, elle prend ses mains et les pose d'autorité sur ses propres hanches. Elle approche sa joue de l'épaule de Schlomo qui rougit, yeux mi-clos, heureux. Ils dansent dans la nuit, seuls, au milieu de la rue. De la fenêtre de la cuisine, Yael les observe, attendrie.

Les dernières notes meurent. Sarah coupe le walkman, tire l'écouteur de l'oreille de Schlomo.

— Voilà, c'est fini ! dit-elle, provocante. Tu n'auras pas tout raté de ma fête... Où est le gros cadeau d'anniversaire ? lui demande-t-elle, sans gêne. Schlomo cherche une explication plausible, il se dit qu'il devra récupérer le cadeau de l'autre côté du grillage. Quoiqu'il doute de le retrouver... Pas une parole ne passe ses lèvres tant il est médusé par la beauté de Sarah.

— Chut ! Ne dis rien, Schlomo. Elle relève son menton : ferme ta bouche ! Elle l'observe : Ils disent tous que tu es noir, mais ils ont tort, tu es rouge ! Sarah s'avance d'un pas, elle l'embrasse sur la joue, tout près des lèvres. Bonne nuit !

Elle le plante là, sous le réverbère, dans le cercle de lumière. Il suit l'élégante silhouette, elle court, elle disparaît bientôt dans l'angle de l'impasse.

Ensuite, il entre dans le couloir de l'immeuble, traînant des pieds. La foudre lui est tombée dessus.

13

La controverse

Schlomo court comme un dingue, il slalome entre les voitures, il s'excuse auprès des gens qu'il bouscule sur les trottoirs déjà encombrés à cette heure de l'aube. Il s'engouffre dans la ruelle fleurie de la synagogue où il a fêté sa bar-mitsva. Il réaccélère, il faut qu'il parle au rabbin Bismuth à tout prix. Il aperçoit sa vieille R5 cabossée, mal garée. Le rabbin au volant s'escrime sur le démarreur.

— *Balagan!* bordel! Rien ne marche dans ce foutu pays!

Il fulmine, il cogne le tableau de bord. Il sursaute, quand il se retrouve nez à nez avec Schlomo qui s'est baissé à sa hauteur de l'autre côté de la vitre de la portière.

— *Oï!*

— Rabbi, comment ça va?

— Schlomo! tu m'as fait sursauter, tu ne peux pas arriver doucement, comme le Messie?

— Rabbi, dites-moi, vous organisez toujours des controverses talmudiques, les disputes religieuses du dimanche ? Rabbi, le père de Sarah... Je veux dire, M. Singer, il est toujours membre du jury ?

Le vieux Bismuth acquiesce, mais le gamin essoufflé reprend :

— Gagner une controverse signifie qu'on a lu, que l'on connaît un peu la Thora, n'est-ce pas, rabbi ?

— A peu près, mon fils...

— Emporter une controverse veut dire qu'on est un bon juif, oui ?

Le rabbin esquisse un oui plus interrogatif qu'affirmatif. Mais pourquoi ce garçon est-il doué du talent de ne jamais poser de questions simples, se demande-il ?

— Rabbi, je veux participer à une controverse. Est-ce possible ?

— Tout le monde a le droit de se présenter, mais je n'ai pas de date libre... pas avant six semaines !

— Oui, oui ! Ça me va, j'aurai du temps pour bosser.

— Bien, Schlomo. Je vais réfléchir au sujet que tu devras méditer.

Le gamin se penche, rasséréné, il voudrait embrasser son maître spirituel, mais il se ravise, il prend sa main :

— Merci, merci, rabbi... Je peux vous avouer autre chose ?

— Dis-moi vite, Schlomo, je suis très pressé. C'est important ?

— Rabbi, l'aiguille est tout en bas. Votre réservoir est vide, vous n'avez plus d'essence...

Au retour de l'école, Itaï et Schlomo parlent de filles et, bien entendu, de l'anniversaire de Sarah.

— Putain, Schlomo... J'avais demandé à Uzi de choisir les meilleurs slows possibles. Sarah était dingue dans mes bras ! Au septième morceau, un truc que je ne connais pas, pa-ta-ri-pa-ta, guitare et violons, un truc de fou... je l'embrasse. Schlomo, elle me laisse faire... Putain, tu peux pas imaginer : Hiroshima, dix pétards roulés en un seul, le nirvana, mec. Elle dit que mes lettres sont divines...

— Bon, excuse-moi Itaï, je suis à la bourre, on m'attend...

Schlomo a déjà traversé la rue, il contourne les voitures, laissant un Itaï planté là, qui balbutie, perplexe : « Mais Schlomo, tu voulais qu'on bouffe ensemble... »

Depuis trois semaines, Schlomo potasse la Thora devant une thermos d'eau chaude, à la table du Qès. Grands ouverts devant lui, une demi-douzaine de textes d'interprétation, dont certains en guèze, l'ancienne langue éthiopienne. Le vieil Amhra, passionné, écoute les commentaires de son étudiant. Il l'interrompt souvent, toujours sur le même refrain :

— Non, Schlomo ! C'est plat... Interprète les idées, ne répète pas comme un perroquet. Tu dois mettre du Schlomo dans le texte. Tu sais pourquoi en hébreu on n'écrit pas les voyelles ? Afin que chacun puisse en ajouter, lire celles qu'il considère nécessaires. Deux personnes en possession des mêmes consonnes proposées dans le même ordre, ne donneront pas le même sens à leur phrase. Alors, lis d'autres voyelles, je t'en prie, réfléchis ! Reprenons...

Le Qès et Schlomo sont un peu comme des complices.

Dans ce coin de la banlieue de Rehovot, les Falashas sourient d'une telle intimité. Qui voit l'un aperçoit l'autre... Un couple de pèlerins. Ils parcourent les couloirs des administrations dès que l'adolescent est libre. Et le vieil homme à la toge, canne à la main, toujours un énorme dossier sous le bras, trotte aux basques du garçon.

Sohnut, Knesset, Mossad, Air Force, Grand Rabbinat, le Qès tire toutes les sonnettes officielles, il sollicite tous les bureaucrates pour obtenir un rendez-vous. Il s'est donné pour mission de démontrer la judaïté des siens, de son peuple, de l'Ethiopie des origines, celle des royaumes salomoniens. Il produit les photos des villages, des synagogues, des incunables et des Thora antiques. Il a rassemblé les témoignages écrits des juifs blancs qui ont visité ces terres autrefois, tiré des copies des lettres de Faitlovitch et de Halévi, ces savants premiers défenseurs des Beta Israel.

Le Qès Amhra se bat non seulement pour faire reconnaître la condition des siens, mais pour justifier leur sacrifice, démontrer leur courage, leur détermination. Pendant les siècles, ils ont cru au retour et ils sont morts pour Jérusalem. Ils ont quitté maisons, biens ancestraux pour lier leur destin à Israël, et voilà que Jérusalem les rejette au prétexte qu'ils seraient des juifs inaccomplis ! Au nom du Sohnut et du gouvernement juif, le Mossad les a sauvés du Soudan et de l'Ethiopie comme des juifs en espoir de Terre promise. Des centaines de vols aériens les ont transportés puisqu'ils étaient descendants de Moïse et d'Abraham. Ils l'étaient au désert, pourquoi ne le seraient-ils plus à Jérusalem ?

Schlomo accompagne partout le vieil Amhra. Et tout compte fait, peu à peu, le gamin devient excellent interprète... Il parle pour deux devant les secrétaires, les plantons et les fonctionnaires, qui tentent tous de se débarrasser de ces deux ambassadeurs de fortune. Le Qès n'est pas homme à baisser les bras, Don Quichotte et son Sancho Pança poursuivent sans relâche leur combat. Schlomo, devenu militant, débite un hébreu sans accent, il écrit, lit mieux que son maître. Insensiblement, Schlomo s'imprègne de langue juridique... Mais, une fois encore il est confronté à une situation impensable, pénible, ambiguë : il s'exprime au nom des juifs éthiopiens alors qu'il est chrétien !

Il ne peut confier à personne son illégitimité, cette usurpation... Mais enfin, comment aurait-il pu refuser son aide au Qès, son deuxième bienfaiteur, son ami, son guide... ?

Les voies de Dieu sont impénétrables et Schlomo n'a pu se dérober....

La lumière solaire illumine la salle bondée. Des herses de soleil dégringolent des hautes croisées. La controverse va s'ouvrir. La synagogue du rabbin Bismuth est à la fête. Chez les amateurs, il se murmure que jamais il n'y a eu autant de monde depuis le débat sur « la symbolique du patriarche Abraham », le premier Hébreu, le « passeur » qui traversa la rivière pour « monter » en Israël.

Les familles Harrari et Leibovici ont battu le rappel de leur parentèle, des proches, des voisins.

A l'ambiance survoltée, on comprend que les deux camps des supporters sont venus soutenir leurs champions respectifs. On parle à haute voix, on crie, on interpelle les garçons, comme s'ils étaient des boxeurs sur le ring, avant que le gong ne résonne.

Michaël Leibovici est l'adversaire de Schlomo.

C'est un frêle ashkénaze vêtu de noir, un adolescent religieux, un hassidique du même âge que son concurrent. Son visage pâle est souligné par les papillotes qui recouvrent ses oreilles ; ses lunettes cerclées au bout du nez lui font un air savant qui inquiète un peu Yael et Tali, assises à leur banc.

Au pied des piliers laqués, les grands-parents, les copains de classe des garçons. Ils sont survoltés. De l'autre côté de la travée centrale, au milieu de ses copines, Sarah est tendue, angoissée.

Vêtu du costume gris de sa bar-mitsva, cravaté de jaune, Schlomo est recroquevillé dans son fauteuil. Il n'en mène pas plus large que Michaël. Derrière les garçons, sur la gauche, le jury est composé du conseil des rabbins, de très vieux religieux et du gros M. Singer, le père de Sarah, qui a claqué sa porte au nez de Schlomo, il y a un mois et demi.

Singer se porte devant le public.

— A tous. Le sujet de cette controverse est celui-ci : de quelle couleur était Adam ?

— Blanc, à l'image de Dieu ! crie quelqu'un.

L'amphithéâtre est traversé d'émotions contradictoires, de rires, mais on hue aussi. La tête baissée, Schlomo se sent encore moins vaillant qu'au petit matin, malgré le soutien d'une partie du public qui manifeste son dégoût à l'égard de ce trait partisan. Pour vaincre un peu sa fébrilité, il feuillette le cahier de notes qu'il tient ouvert sur ses genoux.

M. Singer regagne sa place, il procède au tirage au sort.

— Michaël Leibovici commence !

Le garçon se dresse, avance d'un pas, et entame sa péroraison :

— Quand Dieu créa Adam, l'homme, il l'inventa à son image, blanc. Au début donc, les êtres humains avaient tous la peau claire, mais tout devait changer quand Noé et ses trois fils abandonnèrent la coque de l'Arche, quand les eaux du déluge se retirèrent. Alors le patriarche maudit la descendance de Cham, celle de son propre fils...

Michaël récite un texte bien écrit, il le maîtrise un peu trop. C'est l'interprétation orthodoxe des écritures, pas un pouce d'écart, pas une once d'interprétation, une reproduction seulement :

— ... Canaan, l'un des fils de Cham, hérita de la malédiction lancée par son grand-père : « Maudit soit Canaan, qu'il soit l'esclave de ses frères ! » est-il écrit au verset 9-25 de la Genèse, chapitre Noé. Quant à Couch, le fils aîné de Cham, il fut frappé d'une autre malédiction : il est dit que la couleur de quelques-uns des descendants de Cham serait noire. Ce qui arriva : les *« couchim »* d'Afrique naquirent noirs. Tout était consommé : les héritiers de Cham devinrent des esclaves noirs.

Il achève son exposé et il s'incline.

Les supporters du jeune Leibovici applaudissent à tout rompre, soulevant les huées des partisans de Schlomo Harrari. Les rabbins opinent, la plupart sont fiers de la rigueur narrative de l'élève. Le maître de Schlomo, le rabbin Bismuth, s'abstient d'applaudir. M. Singer, mince sourire aux lèvres, félicite le préparateur du jeune Leibovici.

C'est au tour de Schlomo.

Il quitte son siège, il avance de deux pas, puis il guette les regards de Yael et de Sarah. Il a peur. Même soutenu par les siens, il sait que la partie est risquée. Qu'est-ce qui lui a pris ? Il aurait dû lui écrire une lettre comme il sait si bien les tourner, et le cœur de Sarah aurait chaviré... Il a osé croire, prétentieux, qu'il pouvait conquérir la fille et le père, mais dans trois minutes il aura perdu les deux...

— Adam et Dieu sont-ils de la même couleur, le blanc ?

La voix chevrote, le regard évite le visage sévère de M. Singer, Schlomo hésite, il s'égare dans le silence, un court instant.

— ... Michaël a dit...

Sous la lumière qui dégringole d'une croisée, le Qès Amhra, en toge, à l'avant-dernier banc opine, il fait « non ». Il porte la main sur son cœur, voulant insuffler courage au garçon. Trois mots se dessinent sur ses lèvres : « Fais-toi confiance. »

— Je reprends. Au commencement, il y avait le Verbe, le Mot !

Le Qès acquiesce, tout sourire.

— Dieu créa la Terre et la Vie, en donnant du souffle au mot. Dieu a cru en l'homme, il croit en chacune de ses créatures. Il nous a confié le mot, à condition que nous donnions au mot un souffle personnel, merveilleux, différent, profond. Humain. C'est ce qu'on appelle l'interprétation. Revenons à Adam... Son nom provient du mot *« adama »*, qui signifie « terre » en hébreu. Parce que Dieu créa Adam de la terre, il mêla l'argile et l'eau, et il lui donna du souffle, du merveilleux comme au mot : de la vie ! C'est comme ça qu'Adam est né, Adam est donc de la couleur de l'argile : rouge !

Schlomo regarde furtivement Sarah, son visage s'empourpre. Elle a reçu le message. Elle détourne la tête, discrète, de crainte que d'autres n'aient saisi ce dialogue secret.

— Adam est rouge, comme les Indiens, comme les Peaux Rouges ! reprend Schlomo. En hébreu, rouge se dit : *« adom »*. Vous le voyez, Adam n'est ni blanc, ni noir, il est rouge ! Mais une question se pose : Est-ce qu'il se sent bien, seul et rouge, dans ce monde nouveau ?

Son regard croise celui de Yael maintenant. Quelle mère ne comprendrait pas que cette controverse n'en est plus une, que Schlomo s'ouvre, se confesse, s'adresse enfin à elle, sans que personne ne le sache dans cette assemblée ? Malgré l'assistance, la joute verbale est devenue un tête-à-tête.

— Alors que Dieu pensa à Eve... Schlomo continue, fixant tantôt Yael, tantôt Sarah. Mais Adam ne comprend pas ce que Dieu lui veut, ce qu'Il lui demande d'accomplir sur cette Terre, ce qu'il doit devenir. Que fait-il là, à quoi bon, pourquoi cette responsabilité, pourquoi doit-il affronter tant d'épreuves ?

Schlomo perçoit le désarroi de Yael, alors il se redresse, sa mâchoire se contracte. Il doit se montrer fort, vif.

— Adam ne peut pas reculer. Il le sait, il n'a pas le choix. On compte sur lui, il doit devenir ! Pour Dieu, qui s'est transformé en Lune. Ce Dieu qui le regarde et qui le protège.

Schlomo s'interrompt enfin. Puis il se redresse, il fixe l'amphithéâtre silencieux. Le Qès est fier, Sarah semble bouleversée, bouche bée. Elle ne connaissait pas ce Schlomo mature, fort et fragile, poète, interprète du Livre. Elle est sous le charme. Tout ce qui n'était alors que jeu de séduction, gamineries, se métamorphose en autre chose... Un sentiment étrange, inédit l'assaille. Quelques rangs devant Schlomo, Itaï se tourne vers Sarah. Il lui sourit d'un air entendu : « Balèze, mon copain, n'est-ce pas ? » Elle lui répond d'un léger signe. L'assistance médusée ne réagit pas. Le silence semble durer une éternité, Schlomo se demande s'il n'est pas temps de s'enfuir. Yael le fixe, tendue.

Soudain, l'amphithéâtre explose. On scande

« Schlo-mo ! Schlo-mo ! » On frappe des pieds, on applaudit, les yeux de Yael se mouillent quand elle aperçoit les partisans adverses qui se lèvent. S*tanding ovation*, disent les Anglais. Michaël Leibovici lui-même est debout, il claque des mains, s'avance vers lui et lui donne l'accolade. Schlomo n'arrive pas à y croire. Il remercie l'assistance d'un sourire timide. Il aperçoit le Qès radieux, qui se faufile et quitte la synagogue, discret.

Le vainqueur de la controverse s'approche de Sarah et de M. Singer dans la cour de la yeshiva.

Schlomo aborde le père, main ouverte, confiant :

— Shalom, M. Singer. Je suis Schlomo Harrari.

L'homme n'esquisse pas un geste, il se tourne vers sa fille, très en colère :

—Je ne veux plus jamais te voir avec celui-ci, Sarah ! C'est un imposteur, c'est le diable ! Son regard revient sur le garçon : Dieu ne peut être comparé à la lune ! Sache que si je te surprends une seule fois avec ma fille, tu auras de gros problèmes. Compris ? Adieu !

Schlomo sent le sol vaciller, il observe Sarah. Son père l'a saisie par le bras :

— Rentrons !

Yael embrasse son fils.

— Tu as gagné, mon garçon. Je t'aime... Pardonne-moi...

Elle tire son mouchoir du sac sans même saisir

le désespoir qui a fondu sur Schlomo. On le fête, il a emporté la controverse, ses amis l'entourent. Le moment devrait être à la joie, mais au fond de lui, il ressent la défaite... La vie n'a plus de sens à nouveau. Quand Tali l'embrasse, il s'efforce de sourire, mais son esprit est ailleurs.

De loin, Sarah se retourne vers lui à plusieurs reprises.

— Tu ne peux pas savoir combien je suis heureuse, Schlomo, dit Yael, en l'entraînant à l'écart. Mais sois prudent mon amour, reste modeste. Souviens-toi : mieux vaut perdre parfois pour se garder. Tu me comprends ?

Yael se repent d'avoir prononcé ces mots, mais Schlomo les partage. Il aimerait se réfugier dans ses bras, lui confier ce qu'il vient de perdre. D'autres mots tombent de sa bouche :

— Je peux t'appeler « maman Yael ». Tu veux ?

Le cœur de Yael chavire. Schlomo la serre contre lui, il est plus grand qu'elle maintenant, de quelques centimètres.

Yael sourit, mais ses larmes la trahissent.

Une pénombre bleutée est tombée sur les rues de Tel-Aviv. Au cœur de la nuit, les phares des rares voitures, le mugissement lointain d'un camion de pompiers, d'une ambulance, rien d'autre. Schlomo va et vient à une cinquantaine de mètres d'un commissariat de police, quand, prenant son courage à deux mains, il s'en approche. Il pousse le battant vitré.

Un planton l'accueille. Il le fait s'asseoir dans le bureau du chef qui ne saurait tarder. C'est une pièce exiguë, encombrée. Seul le cercle d'une ampoule à quartz tombe du bras articulé d'une lampe d'architecte. Schlomo perçoit les rumeurs de la ville assoupie derrière les carreaux des fenêtres closes. Il patiente. Il est distrait par le chuintement qui s'écoule d'un radio-téléphone, un dialogue grésille, ponctué de « bip » sonores.

Le commissaire, la cinquantaine, costaud, pénètre dans le bureau. Visiblement, on vient de le réveiller. D'humeur morose, il recoiffe les rares cheveux qui couvrent son crâne dégarni.

— Oui ? Qu'est-ce qu'il y a, bonhomme ?

— Je suis coupable... Arrêtez-moi, monsieur, je ne suis pas juif...

— Quoi ? Qu'est-ce que t'as fait ?

Le policier a du mal à comprendre :

— Coupable de quoi ?

— Je ne suis pas juif... Je mens, depuis le début, à tout le monde ! Je ne suis pas juif ! Je mens depuis le début à tout le monde, à ma famille. A la femme que j'aime, à mon meilleur ami, qui aime la même femme que moi... Je ne suis pas juif ! Je...

Le commissaire lève ses mains grandes ouvertes.

— Assieds-toi.

Il pousse Schlomo sur un siège.

L'homme, agacé, contourne le bureau et ouvre un tiroir. Il en extrait trois livres relatant l'histoire des Falashas et une chemise cartonnée d'où échappent des coupures de presse glissées sous des feuilles de plastique. Il en jette quelques-unes sous le nez de Schlomo.

— Regarde ! Vous-même, vous commencez à les croire ? J'en reviens pas ! Vous êtes juifs autant que nous, sache-le ! OK ? Plus que nous ! Vous êtes plus fidèles que nous à la Torah, regarde, c'est écrit partout. Ne crois pas ce qu'ils disent, je trouve honteux ce qu'ils vous font subir. Je ne connais pas tout, mais je lis, j'essaie de comprendre.

— Mais je vous dis...

— Tais-toi !

Surpris par une telle véhémence, Schlomo glisse sur le siège en skaï. Le commissaire hausse le ton :

— Moi, quand j'ai débarqué de Roumanie, on ne m'a rien demandé. A-t-on refusé mon sang au prétexte qu'il pouvait être infecté par le sida ? Tu sais combien de suicides par mois dans ta communauté ? Douze ! C'est énorme, trop, y en a marre. Mais c'est de notre faute aussi. Jamais une vague d'immigration n'a subi un tel ostracisme. Tiens bon, mon gars, même si c'est dur. Quels cons ! Ils ne tentent même pas de comprendre ce que vous avez vécu, d'ailleurs ils ne veulent rien comprendre à rien.

— Mais je vous dis...

L'autre lui coupe le sifflet.

— Ça va, ça va ! Détends-toi. Que veux-tu faire plus tard, dis-moi ? Tu vas à l'école ?

— Oui, répond Schlomo la voix éteinte.

— C'est bien, c'est important l'école. Si après le bac tu ne sais pas quoi faire, viens me trouver : tu entreras dans la police. Nous avons besoin de gens tels que toi, honnêtes, courageux.

Le commissaire est un type formidable, mais Schlomo pleure intérieurement. Quoi qu'il fasse, le cauchemar ne l'abandonnera jamais. Quand il avoue son mensonge, on ne le croit pas. Il est condamné à porter son fardeau jusqu'au bout. Le ciel le punit. Schlomo se sent honteux.

— C'est bien, mon garçon. Je vais te raccompagner chez toi. Tu es bien jeune pour traîner dans ces quartiers la nuit. Viens, il est tard.

La voiture de police traverse la ville déserte. La carrosserie est balayée par les pinceaux colorés du gyrophare et Schlomo contemple la lune par la lunette arrière. Il ne sait plus s'il l'aime ou s'il lui en veut, ce soir.

Quand il referme prudemment la porte d'entrée de l'appartement, Yael surgit, suivie par Yoram.

— Où étais-tu ? Nous étions inquiets.

En pyjama, Yoram, énervé, engueule son garçon :

— T'étais où, je peux savoir ? T'as vu l'heure ? Qu'est-ce que nous devons penser ?

Schlomo, cinglant :

— Que je me démerde seul, que j'ai passé l'âge, que je fais ce que je veux !

— Ce que tu veux, sous mon toit, dans ma maison ? Tu te fous de ma gueule, Schlomo ?

Il s'approche de lui, menaçant.

Yael s'interpose :

— Tu vois bien que ce gosse ne va pas bien, Yoram...

— Yael, cesse de prendre sa défense ! Il se fout de ma gueule. C'est la police qui le ramène et tu veux que je m'écrase ?

Schlomo libère sa colère :

— Si tu veux, je peux m'en aller, tu ne me dois rien !

Yoram réprime l'envie qu'il a de lui flanquer une beigne.

— Comment tu me parles ?

Yael retient l'avant-bras de Yoram.

— Arrêtez tous les deux, arrêtez !

Elle crie.

Dans leur chambre respective, Tali et Dany écoutent cette engueulade. Ils enfouissent leurs têtes dans les oreillers.

— T'as fait quoi, pourquoi la police ? Réponds-moi bordel !

— Laisse-le tranquille, tente Yael.

— Pourquoi les flics, Schlomo ? Tu me réponds ! Il s'adresse à Yael, désemparée : Mon fils ne sera pas un voyou, t'as compris ?

—Je ne suis pas ton fils ! crie Schlomo.

Yoram se fige, colère et chagrin mêlés, puis file dans sa chambre.

— Très bien. Bonne nuit !

Yael se laisse tomber dans le canapé, vaincue. Schlomo comprend le mal qu'il vient de commettre.

14

Au kibboutz

La chambre de Schlomo et Tali n'est plus tout à fait la même. Trois posters ornent le mur au-dessus du lit du garçon : Bob Marley, les blacks médaillés des olympiades de Mexico, poings noirs gantés, dressés, et Martin Luther King.

Yael, sous le regard de Schlomo, achève de remplir le sac de marin qui trône au centre de la pièce. Elle le boucle.

Fébrile, mal à l'aise, feignant l'énergie, Yael rassure son fils. Le flot de paroles trahit son anxiété.

— C'est bien que tu ailles voir autre chose, ailleurs, tu verras, le kibboutz est formidable !

Elle passe les doigts dans les cheveux du fils, puis, attendrie, elle redresse le col de sa chemise.

— Quand nous étions jeunes, nous passions nos vacances là-bas. Tu vas adorer. Papy a longtemps vécu au kibboutz, Yoram y est né. Dis, mon fils, dis, tu m'appelleras tous les deux jours, d'accord? Plus souvent, si t'as envie... si tu peux.

Elle attrape le sac :

— Allez, va-t'en, le car n'attendra pas. Tu n'as rien oublié ?

Son grand la quitte pour la première fois. Elle jette un regard circulaire sur la chambre, luttant en vain contre l'angoisse.

L'autobus s'immobilise sur l'aire terreuse du kibboutz, après les grilles, devant la grande bâtisse de béton gris. La vaste propriété se déploie jusqu'aux collines boisées, très loin. Dissimulés sous les arbres immenses, de longs bâtiments, grands ouverts, où l'on entrevoit un parc d'engins agricoles modernes, parfaitement entretenus, laqués verts et jaunes.

Les garçons et les filles déchargent leurs sacs à dos. Ils font connaissance dans les rires et les blagues, puis ils s'engagent enfin dans la majestueuse allée boisée.

Sac à l'épaule, Schlomo s'arrête à la hauteur d'une stèle où sont gravés des noms. Les biographies des pionniers, et le portrait des ouvriers méritants de l'unité agricole collective.

Tout en haut, à la place d'honneur, il découvre la photographie bistre de papy... Schlomo est stupéfait ! Le si jeune visage de son grand-père est encastré sous une feuille de verre, orné de cette inscription dans le roc : « Fondateur du kibboutz, son premier directeur, héros des premières guerres, cinq fois blessé. Honneur au camarade Joseph Aaron Harrari ! »

Schlomo dépose son sac de mataf. Puis, voulant partager son enthousiasme, il interpelle le garçon de Tel-Aviv qui était assis à côté de lui, dans le bus.

— Viens, regarde, c'est mon grand-père...

Deux jeunes s'arrêtent à leur tour.

— C'est mon grand-père. Il a lutté pour nos terres, cinq blessures...

Les regards des garçons vont de Schlomo à l'image jaunie. Un blanc et un noir... L'un d'eux s'exclame :

— C'est ça, ton grand-père... Bien sûr, c'est clair !

Ils rient. Les autres passent, indifférents.

Son trousseau rangé dans les rayons qui couvrent un mur du dortoir, Schlomo dégringole les escaliers. Il court vers le poste téléphonique planté devant un bouquet de mimosas.

— Papy ?

— Qui le demande ?

— C'est Schlomo. Dis, pourquoi ne m'as-tu jamais dit que tu étais l'un des fondateurs du kibboutz ?

— On était nombreux, mon garçon...

— Mais tu as été blessé, cinq fois !

Schlomo perçoit l'agacement dans la voix du grand-père.

— C'est du passé... Ce n'est pas un exploit d'avoir été blessé, pas plus que blesser ou tuer qui que ce soit... Ils ne l'ont toujours pas ôtée, cette photo ? Qu'est-ce qu'ils foutent ? Bon, dis-moi, ça va mon Schlomo ? Tu es bien arrivé, tu es installé ? Je pense fort à toi, fils. Soigne bien notre terre et surtout amuse-toi...

Le lendemain matin, quand il rejoint la cantine, Schlomo, revêtu d'une salopette bleue, entame son premier jour de travail par une drôle de surprise : l'image de Joseph Aaron Harrari a été enlevée de la stèle pendant la nuit.

Après le petit déjeuner, il travaille d'arrache-pied.

Il sent renaître des impressions enfouies depuis son enfance éthiopienne, comme cette fatigue physique qu'il n'a pas éprouvée depuis si longtemps. Travailler la terre, redécouvrir le parfum gras des sillons qu'il arpente pieds nus : Schlomo ressent à nouveau un plaisir oublié, la splendeur de la nature, le grésillement des insectes...

Il est seul enfin, heureux, loin des bruits de Tel-Aviv, de l'ordre immuable des jours. Ses compagnons, des adolescents, des citadins comme lui, rechignent à la tâche. Ils sont étendus dans l'ombre des buissons vifs, ils s'offrent à la langueur, écrasés de soleil, soumis à la lenteur de cette atmosphère radieuse. Ils chahutent, ils draguent, ils se moquent bien de la terre et de l'agriculture. Loin de l'autorité des leurs, ils sont en vacances.

Schlomo s'est porté volontaire à l'étable, il cure les boxes des vaches. Il joue à redevenir l'enfant qu'il était autrefois. Les heures passent et son corps, d'abord endolori, s'assouplit.

Il approche d'une belle laitière au regard mélancolique.

—Je peux t'appeler Mandala ? C'était le nom de ma vache, avant...

Tandis qu'il racle les sols bétonnés, qu'il soulève des pelletées de fumier, qu'il nettoie l'étable, il se raconte, à mi-voix.

— ... Mandala est née en Ethiopie. C'était une belle vache. Comme toi. Elle nourrissait ma famille, elle nous donnait beaucoup de lait. J'avais la charge de la surveiller du matin au soir. Je lui parlais et je me demande si elle n'en avait pas marre, si je ne la soûlais pas un peu. Une saison, j'ai eu du mal à trouver des pâturages, de l'herbe, du foin, quelque chose... Il faisait de plus en plus chaud. Il n'y avait plus d'eau. Plus rien ne poussait. La terre, devenue sèche, stérile, se craquela. Tu m'entends... Mandala ? Je vais t'appeler Mandala. Ici, cette terre féconde me remplit d'allégresse, la moindre graine pousse, le blé se dresse, il n'a rien à craindre du roi soleil... Maman partageait le peu d'eau entre ma sœur, mon frère et moi, mais rien pour Mandala... Sinon l'eau volée, que je lui donnais à boire, en cachette. Si peu. Un jour, Mandala s'est couchée sur le flanc, puis elle est morte, comme les bêtes, les chèvres des voisins... Les vautours et les chiens l'ont dévorée en moins d'une semaine. Je lui ai promis de ne jamais l'oublier...

Cornes baissées, Mandala, la plus belle vache du kibboutz, cherche de son mufle humide la main de Schlomo.

C'est l'aube. La brume n'est pas encore dissipée. Schlomo avance dans la terre fraîche, il sent avec bonheur la pellicule d'humus gluant de rosée s'insinuer entre ses orteils. Il se met à l'ouvrage. Il arrache les mauvaises herbes du vaste champ.

Il est heureux, comblé. On lui fiche la paix. Le soleil pointe son nez. Les gamins se réveillent, et, depuis les balcons, ils aperçoivent Schlomo qui pioche, crânement, sans hâte. Ils ne comprennent pas... L'étrange garçon retrouve le geste immémorial des paysans de son Afrique natale. Au fond, il n'a pour héritage que les pâtres, les serfs du XVe siècle. Les jeunes gaillards accoudés à la balustrade grillent leur première cigarette, et ils pensent que ce garçon est un peu dérangé.

La Mandala d'Israël, noire et blanche, n'a jamais été mieux soignée que depuis l'arrivée de Schlomo. Il faut dire que l'enfant est bien le seul des vachers du kibboutz à lire des sentiments complices dans ses yeux globuleux. Il discourt pour elle, comme quand il était gosse, le cul nu sous la chemise de coton tissé, muni d'une badine qui ne frappa jamais le cuir épais de la sainte première vache.

Schlomo parle. Jamais il n'a été aussi extraverti depuis son arrivée en Israël :

— C'est une jolie rousse, frisottée comme moi. Sa peau est blanche avec des taches de rousseur, comme Poil de carotte. Tu connais pas ? Elle a des yeux de souris qui comprennent tout. Attention : c'est une tête, elle pige au quart de tour... J'ai même l'impression qu'elle lit en moi comme à livre ouvert. C'est à la fois rassurant et flippant. Elle s'appelle Sarah...

Les jambes bien plantées, Schlomo charge du fumier dans une brouette. Il soliloque, d'une voix plus grave :

— Son père ne m'aime pas. Il est super-religieux, il déteste les Beta Israel, et donc moi. Il nous interdit... Au fait, Mandala, veux-tu que je t'apprenne l'amharique ? Mandala dresse le col, secoue la tête, semble dire non. Pourquoi ? C'est pas compliqué, tu sais, l'hébreu est vachement plus dur.

La nuit efface les croisées du dortoir. Schlomo a passé son pyjama et il s'allonge, exténué, le dos en compote.

Sur le lit du bas, un garçon râblé délace ses baskets, rigolard :

— Eh les mecs, z'avez vu le paquet de belles gonzesses qui sont arrivées cet aprèm' ? Direct de Haïfa. Elles sont pour qui ?

Les garçons sifflent, applaudissent.

Allongé sur sa paillasse Schlomo baisse les paupières. Il se garde bien d'entrer dans la conversation. Les garçons vont et viennent dans le dortoir, répandant des effluves de savonnettes Palmolive.

Schlomo entend...

— Putain, ce mec, quel lèche-cul ! Monsieur Zèle agricole !

Après le déjeuner, le lendemain, le gardien crie « Schlomo ! » Il parle avec un fort accent yiddish :

— Schlomo, Schloimélé ! Téléphone pour toi, à la réception !

Le garçon court, il se dépêche. Il saisit le combiné.

— Allô, Yael ?

— Eh bien, non, c'est pas elle. Je suis sûre que tu n'arrêtes pas de penser à moi ! Eh oh ? T'es là, Peau-Rouge ?

Schlomo est figé. C'est la voix de Sarah. Mais il ne parvient pas à parler.

— Eh oh ? Le kibboutz, c'est à vous de causer !

Un sourire illumine son visage, Schlomo articule péniblement :

— Oui...

— Ça va, Schlomo ? Dis, je pensais : si je quittais Itaï pour toi ? T'en penses quoi ? Allez, ne rêve pas, c'est pour rire ! Et toi, t'as rencontré quelqu'un au kibboutz ?

— Quelqu'un ?

— Une fille, Peau-Rouge ! Tu sais, cheveux longs, taille de guêpe, deux lolos bombés qui provoquent, des paupières qui clignent tout le temps pendant que la bouche débite des niaiseries pour attirer des mecs...

— Ah oui ! Si, si...

— Ah bon ? Comment elle s'appelle ?

— ... Mandala !

— Comment ?

— Mandala, c'est un nom de chez nous. Elle est éthiopienne.

Sarah et sa copine Einat sont assises à même la moquette. Autour d'elles, des pochettes de disques, des cassettes éparpillées, cent babioles inutiles.

Sarah raccroche le combiné :

— Je m'en doutais, ce con a une copine...

— C'est qui ?

— Une Mandala, une bimbo d'Afrique. Elle doit être belle la connasse. Faut faire gaffe : ces poufs éthiopiennes emballent tous nos mecs...

La veille, le directeur du kibboutz, un petit vieux dégarni que les ados ont surnommé « Ben Gourion », avait prévenu Schlomo : il aurait une visite de Tel-Aviv, une surprise, en fin de matinée.

Assis sur le banc près du grand portail, il mâchouille un brin d'herbe tandis que le bus manœuvre.

— Papy! C'est toi! « Ben Gourion » n'a pas voulu me dire... Puis, inquiet : Il s'est passé quelque chose de grave à la maison?

— Rien, tout va bien. Tiens, prends ce sac, ce sont des cadeaux pour toi, mon garçon. Qui c'est ce « Ben Gourion »? C'est mon copain Shmuel Mandel que tu appelles ainsi? Ben et Sam, ils ne s'aimaient pas beaucoup. Caractères d'ashkénazes, des têtus!

Le visage du grand-père est serein, lumineux comme s'il avait du bonheur à retrouver Schlomo dans « son » kibboutz.

Ils remontent la grande allée, côte à côte. Schlomo porte les bons petits plats cuisinés que papy apporte de Tel-Aviv.

— Au téléphone, on m'a dit que tu travaillais beaucoup. C'est vrai?

— Au téléphone? Et qui donc?

— Sam, le directeur. Il est très content de toi. Puis soudain, le vieux s'immobilise : tu travailles peut-être trop... Je veux dire pas assez... discrètement.

Le garçon comprend ce que grand-père veut lui dire.

— Tu veux que je travaille moins, que je ne fasse pas trop de zèle. C'est tout? Tu es venu pour ça?

—Je suis venu te voir, banane! répond papy,

un sourire jusqu'aux oreilles. Il est sincèrement ravi d'être près de son gamin, ici, sur les lieux de sa propre jeunesse. Il a peine à se l'avouer, mais Schlomo est son petit-fils préféré.

— Papy, je pense parfois que tu aurais dû fermer la porte : ne jamais laisser passer la reine de Saba en Ethiopie !

Le vieux lui lance une bourrade :

— Alors, il paraît que tu as une copine ?

— Qui te l'a dit ? répond le gamin, sur le qui-vive. Le directeur ?

— Mon petit doigt... Non, je blague : c'est Sarah elle-même. Depuis ton départ, elle appelle souvent pour avoir de tes nouvelles...

— Elle dit quoi ?

— Que ta fiancée s'appelle Mandala.

Schlomo conduit le grand-père à l'étable, son domaine, et il fait les présentations :

— Papy, Mandala ! Mandala, Papy...

La vache mugit, elle chasse les mouches.

— Enchanté. Dis donc, ça doit te coûter une fortune quand tu l'invites au restaurant ! Mais raconte-moi : les tiens avaient une vache en Ethiopie ?

Le môme se mord la lèvre. Il a peur que cette question n'en provoque d'autres.

— Oui... nous en avions une.

— C'est bien.

Le grand-père n'insiste pas.

Le soleil entame sa descente, mais il frappe fort

encore. Installés dans l'herbe aux lisières du champ, sur un plaid, le vieil homme et l'enfant sont assis à l'abri d'un saule. Ils achèvent le solide repas que grand-père a préparé lui-même. Il a choisi tous les mets que son médecin lui interdit. Sirotant du café chaud, Schlomo parcourt le *Haaretz*, le journal de Papy. Les photos et les titres de première page évoquent l'Intifada, le soulèvement des Palestiniens.

— Papy, doit-on rendre la terre quand on considère que c'est aussi la vôtre, celle de vos ancêtres, quand nous savons que nous avons été privés de terre partout où l'on a erré dans le monde ? Qu'on n'en a pas d'autre, et qu'on aime tant celle-ci ?

Le grand-père savait que ces questions viendraient tôt ou tard. Il époussette les miettes répandues sur sa chemise, puis il s'installe un peu mieux. Il scrute l'horizon, silencieux. Il se souvient des combats qu'il a menés ici, avec ses camarades, avant la création de l'Etat, pour défendre cette terre, les familles. Il chasse les souvenirs :

— Schlomo, tu vois ce saule, il nous offre son ombre... Eh bien, nous l'avons planté voici un demi-siècle. L'autre, là-bas, à l'ouest, tu le vois ? Il est énorme. Il était déjà là bien avant notre arrivée. Je crois que nous devons partager la terre. Comme l'ombre, comme le soleil, pour que d'autres puissent connaître l'amour aussi.

— Au risque de mourir, d'être jetés à la mer, comme ils disent ?

— Il n'existe pas d'amour sans risque, mon garçon. Et il est impossible de décider comment les autres doivent vivre et aimer.

Le grand-père et Schlomo attendent l'autobus du retour. Ils sont assis sur le banc, devant le portail du kibboutz.

Les rayons du soleil rasent la cime des arbres, c'est l'heure des hommes apaisés.

— Tu as toujours un livre et un journal sur toi, papy. Et ta petite laine sur le bras...

— Le journal m'apporte les mauvaises nouvelles, et je dois être au courant. Quant au livre, il m'apaise de l'esprit lumineux des hommes. La petite laine, c'est pour le soir. Embrasse-moi, mon garçon, l'autobus arrive.

Schlomo le serre dans ses bras.

— Merci d'être venu, papy.

Papy trottine tout doucement vers la portière de l'autobus.

— A bientôt... Attends papy, réponds-moi : tu crois en Dieu ?

Le vieil homme s'est retourné, surpris. Il revient vers l'enfant :

— Quand j'ai mal aux pieds... Ou quand il y a la guerre, chez nous, ou ailleurs dans ce monde. Ça doit être un truc d'homme de gauche ! Tu sais, je ne suis pas très sympa avec Dieu, je

L'appelle seulement quand j'en ai besoin. Je ne Lui passe jamais un coup de fil désintéressé, du genre : « Comment Tu vas ? » Alors Dieu ? Je ne sais pas... Ça te va comme explication ?

— Papy...

Il allait dire « je t'aime », mais il n'ose pas.

Le vieux a compris. Il sourit :

— Moi aussi, Schlomo...

Grand-père refuse l'aide du chauffeur qui lui tend la main afin qu'il grimpe les marches du bus. Il avance comme un chat dans le couloir central, entre les sièges. Il adresse un petit signe à son garçon. Schlomo ne le quitte pas des yeux. Il s'émeut de l'éternel sac de plastique qu'il porte à la main. Jamais grand-père n'aura d'attaché-case. Il n'en a pas besoin pour contenir le *Haaretz* du jour, un livre d'idées, un roman le plus souvent...

15

Un trimestre de feu

— Schlomo ! Téléphone, pour toi...

Yael pousse la porte de la chambre d'autorité, elle tend le combiné à son fils.

— Allô ?

— C'est Sarah ! Tu es rentré du kibboutz et tu ne m'appelles même pas. Je rêve...

Schlomo quitte la chambre, il laisse Tali vautrée sur son lit, à son bouquin. Il traverse l'appartement, traînant le cordon derrière lui et se réfugie dans la salle de bains.

— Allô, Sarah...

— Alors, tu ne m'aimes plus ? Je déconne, c'est pour rire... C'était comment le kibboutz ?

— Super, j'ai adoré...

Sarah l'interrompt :

— Moi je déteste, c'est ringard. Les sillons, les vaches laitières, les tomates, « contemplez ces terres grasses, que nos grands-parents ont conquises les armes à la main », très peu pour moi. Dis-moi, j'y réfléchis depuis quatre jours : les Falashas ont-ils le droit d'épouser des femmes blanches ?

— Quoi ? Pourquoi tu me demandes ça ?

— Comme ça, par curiosité. Juste pour savoir si tu pouvais épouser une blanche...

—Je ne sais pas. Je peux me renseigner si tu veux.

— Laisse tomber. Et comment va Mandala ?

— ... On s'écrit, elle habite loin.

— Tu écris des lettres aussi ?

— Oui, mais je ne suis pas très bon. J'écris court, en style télégraphique.

Sarah se ment à elle-même, elle meurt d'amour pour Schlomo, c'est l'évidence. Elle est à tel point imprégnée par son étrangeté que sa présence lui est devenue indispensable. Celui-là n'est pas comme les autres. Ce qui la captive en lui, c'est autant sa gravité que sa naïveté confondante. Par exemple, à deux ou trois reprises, elle a remarqué que le garçon piquait du nez quand son regard croisait des affiches de femmes nues aux kiosques à journaux. Cette pudeur l'amuse. Cette pruderie doit tenir à son origine, à son histoire singulière. Son identité qui lui demande de respecter le sacré, de ne pas déflorer ce qui doit demeurer caché, désiré, rêvé.

Bouquins dans les bras, Sarah et sa copine Einat longent le terre-plein de l'avenue Rothschild. La rouquine, excédée, fait ses confidences à sa meilleure amie :

— Je lui dis : les Falashas peuvent-ils épouser les blanches ? C'est plus qu'une allusion, ça me semble clair, non ? Il me fait : « Veux-tu que je me renseigne ? » Il me tue ! Faut-il que je lui fasse un dessin ? Laisse tomber, je vais pas lui expédier un fax. Putain, il m'exaspère et sa pouffiasse de Mandala, pareil !

Elles s'arrêtent sous les grands arbres, Sarah pose une main sur sa taille, et doigt tendu, elle met son amie en garde :

— Tu me dois la vérité Einat : j'ai grossi ? J'ai un gros cul, dis-le, ne me mens pas ! Ma peau est laiteuse, j'ai des taches de rousseur ? Schlomo n'éprouve rien pour moi, c'est clair ! J'en ai marre de flirter avec ce naze d'Itaï. Qu'ai-je donc fait au bon Dieu ?

Au même moment, Schlomo est à Rehovot. Le Qès boit du thé et lit le journal en amharique, confortablement assis dans un fauteuil d'osier déglingué, sous l'auvent de la synagogue. Il profite du printemps radieux. Des avions de chasse rentrent à leur base, ils sèment des panaches cotonneux dans le ciel immaculé. Pieds nus, Schlomo bêche la terre du jardinet, il va planter de jeunes rosiers. Il a déjà transformé ce lopin désolé en un jardin coloré qui honore la petite synagogue.

Il travaille, mais il ressasse une question qu'il tourne dans sa tête depuis le début de l'après-midi. Il prend enfin son courage à deux mains :

— Dites-moi, Qès, un Ethiopien peut-il épouser une blanche ?

Le vieil homme n'a pas besoin d'en connaître plus, il a compris.

— Bien sûr que nous avons le droit d'épouser une blanche...

Schlomo sourit. Il reprend la bêche, plus quiet.

— Mais...

— Mais quoi ? interroge Schlomo.

— Quand un Ethiopien se marie avec une blanche, la blanche devient noire...

Schlomo comprend l'allusion, il s'assombrit.

Ce fut un trimestre de feu.

La vitalité d'Israël se retira de ses rues, du mois de janvier 1991 à la fin mars. Une nouvelle guerre changeait la donne régionale. Au lendemain de l'envahissement du Koweit, l'Irak de Saddam Hussein fut ravagé par les bombardements des nations coalisées. En représailles, les baasistes de Bagdad lancèrent des Scud sur les cités israéliennes. Pour la première fois de son histoire, l'Etat juif dut subir une attaque sans riposter... Jours de feu. Israël ne veut, ni ne doit entrer dans ce conflit sous peine d'embraser la région. Cette passivité délibérée, à la fois concédée à Washington et dictée par la crainte chimique d'une montée aux extrêmes, impose un terrible défi psychologique à la population israélienne. Le destin du pays n'est plus entre les mains de son peuple. La seule défense est donc de se terrer dans les abris...

Yoram et son ami Murad, le véritable pilier de l'entreprise, sont plongés dans la comptabilité de la société. Le plateau high-tech est désert, la situation d'urgence militaire paralyse l'économie du pays, écoles, bureaux et administrations tournent au ralenti, le tourisme s'est effondré, les affaires stagnent.

Humeur en berne, les amis pianotent sur leurs calculettes. Pas un bruit dans le vaste bureau. Les trémies autoroutières se sont fluidifiées, le ciel oriental, gris et bas, semble s'être mis en berne. Yoram et Murad comptent, recomptent, tandis que les informations défilent non-stop sur le téléviseur. Les avis des commentateurs militaires, les petits sujets de CNN se chevauchent, une seule question domine : la guerre s'étendra-t-elle ? Le général américain Schwarzkopf explique que les missiles téléguidés sont de ces armes modernes, propres, qui détruisent les objectifs sans tuer les civils irakiens... Animation à l'appui, il démontre que la tête de la charge équipée d'une caméra filme sa cible, transmet les images par satellite avant le déclenchement de l'explosion.

Pour l'heure, malgré la tension, Yoram et Murad n'ont qu'une seule préoccupation : la fragilité de leur outil de travail.

Tout à coup, un mugissement de sirène s'élève. Le programme télé est automatiquement interrompu : un missile de croisière Scud se dirige sur Tel-Aviv. La population sait qu'elle doit se réfugier aussitôt dans les pièces calfeutrées des appartements, passer les masques à gaz.

En bas dans la ville, c'est la cohue : les sirènes se répondent en cent échos. Murad saisit deux masques à la volée :

— Grouille-toi, Yoram, on se planque dans la salle du fond !

— J'arrive, vas-y, réplique l'autre, sans même lever le nez de l'accordéon d'imprimés informatiques répandu sur la moquette.

— Bordel, Yoram ! Viens, le plateau n'est pas étanche...

— Fais chier, Murad ! La boîte crève, c'est ma vie, dans six semaines on sera en faillite. Comment je nourrirai ma famille ?

— Tu les soutiendras encore moins asphyxié ! Fais pas le con, passe ton masque. Grouille !

— Tu t'en branles, de la boîte ! hurle Yoram, qui balance le masque de caoutchouc contre le mur.

Il fusille son ami d'un regard noir.

Pour la première fois, Murad se sent palestinien devant lui. Calmement, il tente encore de le persuader :

— Non, je ne m'en fous pas !
— Si ! C'est pas ta boîte...
— T'es un salaud, Yoram ! Tu ne sais plus ce que tu dis. Fais chier, viens...

Au même moment, le Qès Amhra agrippe le bras de Schlomo. Ils courent pour se réfugier dans l'abri creusé sous le gymnase d'une école. Les claquements mats des batteries antiaériennes leur parviennent, de très loin, aux frontières.

Le souterrain est déjà bondé. Les gens, disciplinés, se sont installés le long des murs, les bébés sommeillent et sucent leur pouce dans des berceaux aux montants inoxydables acheminés voilà deux mois par les services de la protection civile. Les Falashas de Rehovot observent la routine générale. Les loupiotes bleutées trouent l'obscurité de l'abri bétonné. D'énormes rampes d'aération donnent à ce lieu lugubre un air de film de science-fiction. Pour maintenir l'étanchéité de l'abri, le moindre interstice est bouché. Un silence épais règne sur cet étrange troupeau de groins gris.

Le Qès houspille Schlomo qui refuse d'enfiler le masque de son maître.

— Tu m'écoutes ! Tu es le plus jeune, la vie t'attend, tu n'as pas le droit... Et tu dois retrouver ta mère. Alors, tu te protèges !

Le Qès passe son bras autour des épaules de Schlomo, qui obéit. Le vieux refuse le masque qu'un compatriote respectueux lui propose.

Le mugissement continu des sirènes amplifie la crainte de tous. Une radio grésille, elle relaie l'abri au monde et donne régulièrement des informations sur l'évolution des événements. Afin de maintenir l'angoisse à distance, le Qès parle, se raconte :

— Mon père était un homme de grande taille, imposant, fier. Il était Qès, lui aussi. Il rêvait de rejoindre Jérusalem comme nous tous, mais il n'a pas eu la chance d'accomplir son rêve, voir la Ville, fouler le sol de la Terre sainte. Il s'interrompt, savoure le silence, puis il reprend : Moi, son fils, j'ai cette chance. Grâce à Dieu et Israël. Te rends-tu compte que nous avons accompli notre rêve, Schlomo ?

Le vieil Amhra parle, parle... L'espoir dans les yeux. La communauté patiente, elle attend la fin de l'alerte, masques à gaz sur le visage...

Quand Schlomo referme la porte de l'appartement derrière lui, il est tard. Il lance un « bonsoir » machinal. Yoram et Yael sont campés devant le téléviseur où les informations défilent en continu.

— T'as vu l'heure, Schlomo ? Merde ! Après une alerte, appelle pour dire que tu es entier, au moins. OK ?

Schlomo ne répond rien, il rejoint sa chambre.

Sa relation avec son père dégénère. Irascible,

tendu, désemparé par les pièces comptables de son entreprise qui périclite, Yoram n'admet pas que cet adolescent renfermé lui résiste malgré l'amour que la famille lui porte. Le Yoram souriant est devenu électrique. Schlomo pense que Yoram regrette de l'avoir adopté.

Dé passé à un doigt, Yael reprise du linge, une manière d'échapper à la pression ambiante.

— Saloperie ! grogne Yoram. Regarde...

Un long travelling de caméra s'attarde sur des dizaines de corps ; des enfants, des femmes déchiquetés, mêlés aux gravats provoqués par la déflagration de la bombe intelligente qui a foré les cinq niveaux souterrains de l'abri bagdadi. Le missile téléguidé s'est trompé de cible.

— Yael, je redoute le pire. Nous devrons limiter nos dépenses, vivre autrement.

Les yeux baissés sur son ouvrage, elle ne répond pas tout de suite. Elle reprend, évoquant un sujet maintes fois débattu :

— Partons en France ou au Canada...

Son mari esquisse un non. Elle poursuit :

— Tu as deux garçons, amour... Tu sais ce que ça veut dire ?

— Autant que toi : deux soldats !

— Et ils iront combattre comme toi ? Ils feront la guerre... C'est ce que tu veux ?

— A ton avis, c'est ce que je veux ?

— Alors partons, Yoram ! Bouclons nos valises !

— Pas question. Qui restera ici ? Ces fumiers

de droite qui veulent vivre une guerre permanente ? Qui votera pour la paix ? Qui...

— Mais ce sont tes enfants, Yoram.

Il se redresse. Il fait les cent pas, le cœur déchiré. Il plaque son visage contre la surface glacée des carreaux, scrute la nuit, puis il revient sur ses pas. Il enlace Yael et il murmure dans son cou :

— C'est mon pays, je ne peux pas partir...

16

La paix maintenant

1993, quelques années plus tard encore...

Quand les peuples n'en peuvent plus de subir, la rue devient l'exutoire de leurs rêves, de leurs colères mêlées.

Schlomo a dix-sept ans, il manifeste à sa place, aux côtés du Qès Amhra. Enturbanné, costume, toge crème jetée sur l'épaule, l'allure du vieux est magnifique. En ces instants de chaos, il incarne la permanence d'une humanité surgie des temps anciens. Le visage émacié finit sur une pointe de barbe blanche, et le vieil homme marche, un bras sur l'épaule de son protégé longiligne. Schlomo dresse sa pancarte « *Shalom Arshav*, La paix maintenant ». La gravité de ce garçon élevé dans le respect des principes se lit dans ses yeux sombres. Murad, son épouse, leurs deux filles collégiennes, une famille arabe israélienne, marchent aux côtés de Yoram, Yael, Tali et Dany. Ils portent tous, épinglé à la place du cœur, un papillon de papier qui manifeste leur appartenance au camp de la négociation, à celui du silence des armes.

Parmi les Falashas, qui donnent tant de leurs gosses à la guerre sans nom, Schlomo est un militant de la paix déterminé. Quelles que soient leur peau, leurs histoires singulières, leurs communautés respectives, juifs de São Paulo et d'Odessa, de Marseille ou de Beijing, ils veulent tous la paix. Ils n'en peuvent plus de frémir pour leurs grands enfants, ils ne veulent plus trembler en les laissant à l'arrêt du bus le matin, quand ils partent pour l'école. Ils savent que ceux d'en face endurent de la même manière la spirale des destructions, comme eux ils résistent aux ultras, puisqu'ils sont otages de la haine qui anime les extrêmes contre les extrêmes. Ces humbles refusent les maux des hasards meurtriers.

Les traits de Schlomo se sont affirmés, son visage semble même plus brun encore depuis qu'il laisse pousser ses longues boucles en tortillons crépus qui lui donnent l'allure d'un rasta de Jamaïque. Schlomo a le style de sa génération, chemise à carreaux, le plus souvent bleue, grande ouverte sur un tee-shirt immaculé. Pour l'heure, il défile avec son peuple dans les avenues de sa ville.

« La paix maintenant ! »

Dans l'après-midi, Schlomo et Sarah se retrouvent à la terrasse d'un boui-boui près du grand marché de Tel-Aviv.

Comment une telle beauté peut-elle vivre ici-bas ? Celui qui aurait assisté à la controverse de la yeshiva de rabbi Bismuth quatre ans plus tôt serait convaincu de l'accomplissement de la métaphore biblique à laquelle Schlomo Harrari s'était livré, ce matin-là. Rousse et brun, blanche et noir, Sarah et Schlomo, l'union des différences, présentes et futures...

Pourtant, ce jour-là, la naïveté n'est pas de mise, en tout cas pour une Sarah bien sérieuse, à l'inverse de sa réputation fantaisiste.

— Essayons, Schlomo !

—Jamais ça ne marchera, Sarah. Je ne veux pas te perdre... Restons amis seulement. Je suis noir, mais tu ne t'en aperçois plus, israélien certes, mais nègre !

—Je m'en fous, pour moi, tu es rouge...

Elle a prononcé ces mots de telle sorte que Schlomo a entendu : « je t'aime, tel que tu es ». Le Qès avait prévenu : en épousant son bien-aimé, elle adopterait ses malheurs...

Il s'était juré qu'il n'en aimerait jamais une autre, mais aussi qu'il lui épargnerait son mal.

— Bon, pardonne-moi, mais je dois partir. Yael m'attend pour la tournée des vieux... On en reparlera quand tu voudras.

Il se penche, prend sa main dans la sienne et il

embrasse sa joue. Il fait mine de rassembler la monnaie dans sa poche, mais elle l'en empêche. Schlomo s'éloigne. Sarah ne peut voir ses yeux embués.

Yael enlace le cou de son mari, ils sont installés au salon. Les images de la télé les absorbent. Ce soir-là, deux peuples retiennent leur souffle : en direct, au pied du péristyle de la Maison-Blanche, Clinton, tout sourire, Begin, puis Peres acceptent la main d'un Arafat engoncé dans sa vareuse vert olive. Les yeux de Yael brillent. Un léger sourire se dessine sur les lèvres de Yoram. Il rêve malgré son visage gris, empreint de tristesse, las.

Yael le presse un peu plus contre elle. Elle murmure :

— Tout va aller mieux maintenant, amour...

Ce matin-là, Schlomo décolle très tôt. Dans le couloir, il serre un peu plus ses bouquins sous la lanière entoilée. Yael repasse devant le téléviseur et sans bruit, Schlomo se plante derrière elle. Il s'appuie au chambranle de la porte du salon, accoudé à la bibliothèque basse où repose le socle du chandelier à sept branches, un souvenir des aïeux Harrari d'Alexandrie.

Des images terribles de famine se bousculent à l'écran. Ethiopie, Somalie, Soudan, la Corne de l'Afrique est ravagée par une guerre de dix ans.

Apocalypse. Désormais, le continent est couvert d'océans de tentes. Les corps difformes des enfants aux ventres ballonnés sont victimes de cette maladie que les médecins d'urgence appellent kwashiorkor. Ce sont maintenant les images d'un camp sillonné par une théorie d'êtres nus, à peine recouverts de plaids verdâtres. Par quatre, les spectres soulèvent, à l'épaule, des civières de branches non écorcées, ils portent les leurs vers des tranchées défoncées au bulldozer par les logisticiens étrangers, les croque-morts humanitaires de la catastrophe de ce XXe siècle finissant. Une petite Ethiopienne, assise à même la terre poudreuse, nourrit comme elle le peut, en s'aidant d'une cuiller de plastique, un nourrisson agonisant. Le regard que l'enfant plante dans l'œil de la caméra soulève l'épouvante.

Schlomo est figé. Il détaille les images à la recherche d'un visage. Yael se retourne subitement. Elle découvre sa présence, mais elle ne prononce aucun mot. Elle fixe ses yeux.

Un chapitre de leur existence s'achève ce matin-là.

Schlomo pousse la porte d'une agence de voyages de Rehovot, tenue par un couple d'Ethiopiens.

— Combien coûte le billet pour Khartoum ?

Il s'est exprimé en amharique. Bien que dissimulé par un ordinateur, un sourire apparaît sur son visage : il pense que ce chaland lui fait une blague. Il se tourne ensuite vers la femme, un rien perplexe...

— Le Soudan est terre musulmane, jeune homme. Son gouvernement considère Israël comme son ennemi juré. Il n'existe pas de vol direct pour Khartoum...

Schlomo dérive dans les ruelles de Rehovot. Une gitane, jaugeant ce gamin habillé d'un costume de riche, l'accoste. Elle le suit, elle insiste, elle lui coupe le chemin :

— Donne-moi ta main, beauté : je vais lire ton avenir...

Schlomo l'ignore. La gitane le rejoint, elle attrape sa main, autoritaire, elle tourne sa paume et lit sa ligne de vie.

— Tu as menti ! Tu mourras, c'est écrit !

On dirait une sorcière tout à coup, elle crache à ses pieds, l'insulte, elle s'enfuit, abandonnant Schlomo à ses démons.

Au bout du rouleau, il s'est assis sur un banc de la synagogue.

Le Qès, furieux, tente de le raisonner :

— Tu veux partir au Soudan ? Mais c'est la guerre, là-bas, tu le sais ! Ta mère n'est sûrement plus à Um Raquba...

— J'en ai marre... Je dois la rejoindre. Je ne vais pas attendre là toute ma vie...

— En partant à l'aventure, tu te suicides ! Tu veux mourir, dis, c'est ce que tu veux ?

— Je veux...

— Tu veux, tu veux... Tu ne comprends rien au monde ! Nous sommes condamnés à vivre, tu sais ce que ça veut dire, vivre ? Nous sommes sortis d'Ethiopie comme nos ancêtres d'Egypte, nous avons été arrachés à la mort. Il nous faudra quarante ans de souffrances et de questions. Et alors ?

La nuit tombe. Dans la pénombre de la barza, la lueur de l'unique ampoule au bout d'un long fil sculpte leurs visages d'une lumière jaunâtre. Le Qès tire sur une cigarette sans filtre. Il inspire, il se délecte de la fumée qui nimbe ses traits, s'accroche à son turban. Il observe la pointe du tabac incandescent :

— J'ai fumé ma première cigarette la semaine dernière. Ne dis rien aux autres, car il est rare qu'un Qès fume. Au début, j'ai toussé comme un âne. Il esquisse un sourire. Vas-y, demande-moi : pourquoi fumer, s'y mettre à mon âge ? Pourquoi pas... J'ai tant de choses à découvrir, j'en ai tant refusées...

Le Qès tire sa clope à pleins poumons, puis, sitôt consumée, il en grille une autre. Il fume, les yeux mi-clos.

— Mon fils a été abattu comme un chien devant moi. Par nos guides, ceux que nous avions payés pour nous conduire au Soudan. Il protégeait sa femme, il voulait l'arracher à ces types qui allaient la violer. Elle, ils l'ont égorgée, trois jours après lui... Ma chère femme est morte de chagrin et de désespoir au camp d'Um Raquba. Tu crois que j'oublierai leurs yeux, ces regards dont je suis orphelin ? Ils me manquent... Crois-tu, Schlomo, que je puisse effacer l'image de mon garçon, de ma bru, de mon épouse ? Impossible... Mais je dois vivre, je dois servir les survivants. Toi, par exemple...

Le Qès écrase sa cigarette, puis, sans ménagement, il prie Schlomo de le suivre à l'intérieur. Il va vers le placard mural sur le côté de la salle de prière, il fouille sous sa toge, et il tire un trousseau de sa poche. Prenant son temps, il ouvre les trois serrures du caisson. Les battants s'entrouvrent. Alors, précautionneux, il en extrait un énorme paquet enveloppé dans une étoffe ancienne tissée, nouée de raphia. Il récite une prière à voix basse.

Il dépose son fardeau sur sa table de travail et en délace les boucles. Il déploie enfin les lés de toile colorée. Alors Schlomo voit apparaître un livre très ancien, une Thora sous reliure souple, le cuir d'une jeune chamelle. C'est le Livre des Falashas de Weleka.

Les lèvres du Qès effleurent les hautes pages manuscrites en guèze, cette écriture qui précéda l'amharique.

— Voilà. C'est tout ce qui me reste. Laisse-moi, maintenant. Va-t'en, Schlomo !

17

Confessions

Il est deux heures du matin. Schlomo échoue sur un banc de la gare routière. La nuit, l'envers de la ville. Une babouchka saoule braille, au milieu de six cabas mal ficelés. Clocharde, elle geint « Petrograd, Petrograd, ô mon pays... » ; trois Philippins jouent aux dominos. Ils attendent la camionnette qui les ramassera pour aller cueillir les avocats d'un producteur. Derrière des autobus garés en épis, des jeunes Falashas, cassés, s'échangent une seringue. Ils trompent leur malheur en s'injectant de la came, tour à tour.

Costume froissé, chemise déboutonnée, Schlomo observe les clodos, les vendeurs d'allumettes, de cigarettes blondes à l'unité ; des Palestiniens errants, des Arméniens et des Roumains déclassés s'engueulent à propos des qualités respectives des Caucasiens et des Balkaniques.

Malgré l'heure tardive, Yoram, seul au bureau, parcourt des imprimés en vrac, des factures, des lettres recommandées. Barbe de deux jours, figure froissée, tirée, il est à l'image de ce lieu désert : sa boîte, hier prospère, semble à l'abandon. Yoram a dû se séparer de ses collaborateurs, de Murad même... Il n'arrivait plus à dégager son salaire. Le jour où Murad est parti avec ses affaires, Yoram a laissé un peu de sa vie.

— Yékouno, Yékouno !

Schlomo est pétrifié. Il n'a jamais entendu ce prénom depuis huit ans. Craintif, il se tourne vers la voix d'un Ethiopien à peine plus âgé que lui. Vêtu d'un blouson de cuir trop chic, le type s'affale près de lui. Il lui donne une accolade très familière, comme s'ils étaient les meilleurs amis du monde.

— C'est toi, Yékouno ? Le fils de Kidane ?

— Non. Je suis Schlomo...

— Déconne pas, man ! On était des copains à Um Raquba, tu es le fils de Kidane ! Je reconnais la pierre de lune à ton cou, là... Tu es Yékouno et tu n'as pas changé. Fais voir : t'avais une cicatrice au-dessus de l'œil. Schlomo se détourne, maladroit, mais l'autre lui pince la joue du pouce et de l'index... C'est toi ! Yékouno ! Mais dis donc frère, t'es pas plus juif que moi... Comment t'as fait pour arriver là ? T'es démerde, mon pote, tout comme moi...

Schlomo lève une fesse, tire les pans de sa veste.

— Je suis content de te retrouver. Avec toi je ne suis plus le seul black goy de ce putain de pays...

Schlomo ne répond pas. L'autre poursuit :

— Des soucis, man, ça va pas, mon pote ? Tiens, prends un clope. Schlomo refuse. C'est un pays de merde man, reprend l'autre, tandis qu'il tire sur une Craven, ils nous ont sortis du cul du monde et maintenant ils nous laissent crever. Mais dis, t'as un beau costard, mec... *Fashion !* Il palpe l'étoffe, puis lui enserre à nouveau les épaules. Tu sais, dès que j'ai un peu de pèze, je m'casse en Californie. Le pays te manque, man ? Laisse tomber, c'est un trou à merde. *Never back ! Unbelievable*, incroyable ! Ça alors, j'y crois pas, je suis trop content de tomber sur toi ! Allez, viens, j'te paie un drink. C'est moi qui régale.

Schlomo se méfie de ce type. Mais l'Ethiopien insiste, il le tire par le bras :

— *Come on man*, un drink, un seul, on va fêter ça !

Schlomo cède. De toute façon, il est condamné à attendre le premier bus du matin en tête de ligne.

C'est une discothèque, un club surpeuplé, un endroit incroyable. Les clients sont des Falashas de tous les âges, ils se frôlent, ils dansent serrés. Schlomo étouffe, il n'en croit pas ses yeux : des filles aux tresses nouées, coiffées de dreadlocks alourdies par des perles multicolores ondulent, toutes plus gracieuses les unes que les autres. Des femmes élastiques, demi-nues, luisantes de chaleur, tee-shirts échancrés, belles à damner. Une nuit de sueur, de R&B et de reggae.

Schlomo boit. L'Ethiopien qui prétend le reconnaître dit se nommer Elvis. Il lui colle aux basques et lui offre verre après verre...

— Schlomo, je te présente Mike, mon second, il se casse avec moi en Amérique...

— *Hi!* On a des potes là-bas, dit l'autre, et bientôt on aura assez de fric pour ouvrir un bar à L.A. Tu connais Los Angeles ? Le paradis, man, la ville du possible.

— On a déjà le nom, *Négus Bar*. Le pognon coule partout en Californie. Y a qu'à ouvrir le robinet !

Schlomo n'écoute pas, il les entend, cœur au bord des lèvres. Col de costard relevé, Mike l'enlace, l'entreprend :

— Mate, mec ! La gonzesse là-bas, celle du bar... Elle te lorgne depuis que t'es arrivé. Joli lot, non ? Attends, je l'appelle.

Schlomo refuse, il n'osera jamais lui parler. Mike rejoint la fille. Elle glisse bientôt de son tabouret haut, elle vient vers lui. Il dévisage cette beauté à couper le souffle. Le genre de fille qu'il n'a jamais rencontré, une princesse de clip télé. Chanteuse, elle pourrait adopter le nom de « Reine de Saba ».

— Tu es beau, toi. Tu es... ?

— Schlomo.

Sa voix est à peine audible.

— Tu danses ?

— Mal... Je ne sais pas.

La fille a déjà pris sa main, il la suit, docile. Il admire son corps de la tête aux pieds. Il se découvre un autre. Son esprit ne s'élève pas, il se décale. Il se sent comme étranger à tout ce qu'il était jusqu'alors. Il danse, la fille collée contre lui. Il sent ses seins contre son torse, ses genoux tremblent.

— Tu m'plais, dit la fille.

— Toi aussi, tu me plais.

Ils quittent la boîte. L'Ethiopienne l'emmène.

Une piaule mansardée, minable, perchée au dernier étage du night-club. Par la fenêtre du toit, elle est obstruée d'un voile indien, les rythmes de la musique s'écoulent. Un néon publicitaire clignote, mécanique, et balaie la chambre de lueurs bleues électriques.

Une porte de ferraille grinçante, un couvre-lit pelucheux, et Schlomo, gris d'alcool, imbécile, les jambes ouvertes, effondré sur le lit. Il tente en vain de résister au vertige qui l'emporte... Il a oublié Sarah. Cette fille black, sublime, a dit qu'elle l'aimait. Quel est son nom d'ailleurs... Il ne le sait plus, mais il s'en fout, cette femme lui ressemble. Demain, au réveil, il reviendra avec une fleur et il lui redemandera son prénom.

Pour le moment il veut commencer cette nouvelle histoire en étant sincère...

— Je ne suis pas juif...

Elle défait sa veste, elle ôte sa chemise, elle s'en moque bien qu'il soit juif ou même musulman...

— ... Mais je me sens juif, je le suis, j'ai fait ma bar-mitsva. En même temps je ne lui suis pas... Comment dire ?

La fille pose un doigt sur les lèvres :

— Chut... C'est bien, mon joli. Je t'adore, mais si tu veux lécher mes seins, il faut d'abord payer.

Schlomo ne comprend plus. L'idylle naissante se brise. Il ne sait plus où il est. Elle veut du fric ?

Il glisse la main dans sa poche, il en tire une poignée de billets froissés. Il en tend un à la fille, elle en prend deux.

— Allonge-toi, *bab'*, j'arrive...

Elle disparaît dans la salle de douche miteuse tandis qu'il roule sur le lit. Il tente d'ôter sa veste. A défaut d'amour, il aura du plaisir.

C'est alors que, surgis de nulle part, Elvis et Mike se précipitent sur lui. Les coups pleuvent. Coups de poing, coups de boule, coups de lattes. Un massacre. Il est incapable de se protéger, de réagir, les bras entravés par les manches de la veste. Les deux types lui cassent la gueule malproprement.

— Enculé, traître! Tu te fais passer pour juif, tu joues au juif? T'es pas juif! Une baffe lui arrache la tête. Tu réponds, connard! Il reçoit des crachats. Réponds! Yékouno, tu t'appelles YEKOUNO! Et tu ne me remets pas? Fumier! Aboule ton fric!

Mike et Elvis vident ses poches, ils lui piquent ses chaussures, ils le jettent dehors. Il s'effondre sur les graviers de la terrasse. Mal en point. Schlomo crache du sang, son dos est moulu, il tente de se relever, il se retrouve à quatre pattes. Il se redresse groggy, dans un piteux état.

Comment a-t-il fait pour se retrouver devant la synagogue de Rehovot? Privé de souliers, il a marché longtemps, pieds nus, à travers la ville. Il pue l'alcool, le vomi. Son visage est ensanglanté.

Face à la synagogue du Qès Amhra, il gueule dans la nuit :

— Rien à battre de tes conneries... Ton histoire m'emmerde! Rien à foutre de vos malheurs, t'entends?

Il bombarde les tuiles de pierres, la façade, l'auvent. Il hurle, en sanglots :

— Figurants! Nous sommes les figurants de « l'Opération Moïse ». Les acteurs c'est les blancs, nos sauveurs ! Mais j'en ai rien à foutre, moi ! T'entends Qès, rien à foutre !

Il ramasse une poignée de gadins sur un monticule de gravats. Il tire. Une, puis deux lumières s'éclairent dans la façade sombre de l'immeuble gris, à gauche. Le vacarme réveille des locataires.

— Rien à foutre, Qès... Montre-toi. T'es là, je le sais ! Et nous, les non-juifs, même pas des figurants, on n'est pas dans le film. Oubliés ! Crevés ! Lève-toi, Qès, tu m'entends...

Dans l'obscurité, derrière une fenêtre, le vieux l'écoute. Schlomo n'aperçoit pas la voiture de police qui se gare au pied de l'immeuble gris. Trois flics foncent sur lui. Ils le ceinturent, le plaquent à terre, lui menottent les poignets dans le dos.

Le Qès surgit, il crie :

— C'est mon garçon, c'est mon fils ! S'il vous plaît, ne le brutalisez pas, laissez-le ! Le vieux court, tête nue : Détachez-le, c'est mon fils ! Ce n'est rien, s'il vous plaît, c'est moi qui dois le corriger !

Il s'accroupit auprès de lui :

— Calme-toi, ce n'est rien, ça va aller...

Chemise déchirée, coudes sur le dossier, Schlomo tend son visage. Il est assis sur une chaise, à l'envers. Le Qès désinfecte la vilaine plaie sous l'œil droit, il tamponne doucement la pommette à l'aide d'une étoupe de coton imbibée d'alcool. Le garçon émerge de sa griserie

— Qès, je suis un imposteur, je ne suis pas juif.

Le vieux ne réagit pas.

— Tu le savais, n'est-ce pas ?

Pas plus de réponse.

— Je n'ai pas vécu ton histoire, Qès, je n'ai pas vécu votre histoire. J'ai vécu la mienne...

Toujours muet, le vieux déroule la gaze, saisit une paire de ciseaux et tranche le ruban de sparadrap.

Un peu plus tard, ils s'assoient dans la pénombre, sous l'auvent. Le Qès grille une cigarette. Schlomo distingue son profil, à peine éclairé par la clarté d'une lune magnifique.

— Aleka et Kidane : mon papa et ma maman... Nous vivions dans un tout petit village. J'avais une sœur, Tirunesh, jolie comme un astre, et Ménélik, mon grand frère. Il racontait des tas d'histoires, jamais personne ne me fera autant rire. Nous avions un lopin et une vache, Mandala. Mes parents, ma grande sœur et mon frère travaillaient la terre, moi je m'occupais de Mandala. Le soir, nous nous retrouvions autour du feu, heureux. Mon père est allé à la guerre en Erythrée, combattre les rebelles. Il n'est jamais revenu. Mort. Un an plus tard, la sécheresse a crevé Mandala. Puis la terre s'est refusée... Il ne pleuvait plus, le soleil brûlait tout, plus d'eau. A peine de quoi boire. Ma mère et mon frère décidèrent de partir au sud. Maman voulait nous sauver. On est partis à pied... Des centaines de kilomètres. Tirunesh est morte la première, d'épuisement, de maladie, je ne sais pas... Elle s'est couchée sur la terre, elle ne voulait plus avancer, elle m'a souri. Je me suis couché des heures contre elle. Je ne voulais pas la laisser, je ne voulais pas qu'on l'enterre, je criais : « Je ne vous la donne pas, je ne l'abandonne pas ! » Ménélik a dit : « Si on ne le fait pas, les vautours arracheront sa peau jusqu'aux os, comme pour Mandala. » Il reste une croix dans le désert. Celle de Tirunesh. Où ? Je ne me souviens pas... Mais je la retrouverai un jour.

Le visage du Qès, privé du turban, se profile dans la lueur du briquet. Schlomo n'avait jamais vu ses cheveux blancs, taillés ras.

— Et ton frère, Ménélik, qu'est-il devenu ?

Les yeux de Schlomo s'arrêtent sur quelques pièces de monnaie éparpillées sur la table de la barza. Il perçoit leur choc métallique, quand sa mère, ce jour-là, mit trois piécettes dans sa paume. Au camp d'Um Raquba, un matin, voilà huit ans. Schlomo n'oubliera jamais le bruit des pièces, ni tout autre bruit de cette maudite journée...

— Un matin, ma mère m'a envoyé chercher de l'eau. Dans le camp. On y était depuis quelques mois. L'eau était à l'autre bout, près de la tente du Croissant-Rouge. Comme tous les matins, elle me glissa les trois pièces, puis je partis, avec notre bidon. Je payai d'abord. Ils me prirent l'argent et refusèrent de le remplir. Ils soutenaient que je n'avais pas payé. La source appartenait à une bande de jeunes – c'est ce qu'ils disaient. Je commençai à pleurer, je demandai qu'ils me rendent mon argent. Des gens se mirent à me défendre, la bande n'était pas aimée. Une bagarre éclata. D'un coup, violente, tout le monde était à bout de nerfs. Puis j'aperçus mon frère au milieu de ce raffut. Je ne sais pas comment il arriva, ni quand. Il était venu me défendre. Je criai. Je tentai de le rejoindre. Mais la foule était trop compacte, la bagarre enflait. Les gardes soudanais arrivèrent à bord d'une jeep. Ils matraquèrent à tort et à travers, avec les longs bâtons. Ils frappaient, et les gens s'enfuyaient.

Schlomo se tait. Ses yeux s'écarquillent, comme pour mieux visualiser la suite de la scène. Le Qès l'observe, bouleversé. Il veut intervenir, mais le jeune homme reprend le récit :

— Tout le monde s'est écarté, reprend-il. Mon frère, Ménélik, était allongé par terre. Mort. Poignardé. Pour un bidon d'eau. Pour trois sous... Par ma faute.

Le Qès prend sa main dans les siennes :

— Ce n'est pas de ta faute, tu n'avais que neuf ans. Crois-moi, ta mère ne t'a pas chassé, Schlomo ! Elle n'a pas voulu te punir. Elle savait combien tu aimais ton frère...

Schlomo n'arrive plus à retenir ses larmes.

— Alors, pourquoi ? Pourquoi m'a-t-elle interdit de revenir ?

— Pour te sauver, Schlomo, pour que tu vives !

Schlomo pleure, toute résistance lâche.

— Pleure, tu en as le droit.

La main du Qès caresse ses cheveux comme il le ferait avec son propre fils.

Schlomo inspire. Il sèche ses larmes. Le Qès l'attrape par le bras :

— Le jour se lève. Ta plaie est bien profonde, elle m'inquiète. J'ai un ami médecin, il va te soigner, viens.

18

Le prix de la vérité

La porte palière du deuxième étage s'ouvre sur un blanc, la soixantaine à peu près. Le docteur est mal réveillé, il est torse nu, vêtu seulement d'un caleçon. Schlomo scrute le visage mal rasé. Il le reconnaît...

— Vous êtes le médecin français, vous étiez à Um Raquba !

Le toubib frictionne son crâne chauve, des deux mains.

— Tu as bonne mémoire... Je portais des lunettes cerclées, une blouse blanche, et je crois que j'ai dit : « La vie n'est pas un paquet de bonbons. » Tu es le fils de Kidane...

— Qès, il m'a sauvé à Um Raquba !

Mais il réalise aussitôt que ces deux-là se connaissent...

— Il se nomme François Buchman, fait le vieux. Il est français, de la ville de Strasbourg. A

Um Raquba, il était Médecin du monde. Nous sommes devenus des frères, dit le Qès. Il vit depuis dix ans en Israël.

L'appartement est vaste. C'est un capharnaüm indescriptible : livres empilés sur les tables, à même les parquets, sur les canapés, partout des emballages de médicaments, des dossiers, la poussière.

Buchman les rejoint. Il a passé un pantalon et une chemise blanche sans col. Il s'occupe de Schlomo. Patiemment, il coud les bords de la plaie sur la pommette éclatée.

— Bouge pas. Dans une semaine, on ne verra plus rien...

Dans un fauteuil, le Qès se confie à son tour.

— C'est moi qui ai enterré le vrai fils de Worknesh, dans le désert d'Um Raquba. Il s'appelait Salomon. S'il avait vécu, il serait devenu Schlomo. A ta place... Il avait huit ans. Tu es né une deuxième fois le jour de sa mort. J'ai mis beaucoup de temps avant de l'admettre. Pardonne-moi...

Le vieil Amhra vacille. Cette nuit blanche l'a épuisé, mais il est enfin soulagé, délivré du secret qui lui pesait tant depuis toutes ces années.

Belle. Schlomo attend Sarah. Il l'aperçoit au bas du passage du vieux quartier de Tel-Aviv.

L'air est parfumé du suc des fleurs d'orangers, des épices en vrac.

Mêlant ses boucles aux siennes, le garçon embrasse Sarah dans le cou.

— Dis donc, ils ne t'ont pas raté ! Ils t'ont sacrément déchiré, dit-elle.

Elle effleure la blessure, à la naissance du nez.

— Des nazis, je te dis ! Cinq salauds...

— A cause de ton nez juif ! Schloimélé, on fait les valises, les nazis sont partout, on se tire !

Ils rient. Ils sont beaux.

Ils vont, côte à côte. Sarah a posé sa nuque sur l'épaule de Schlomo, et ils marchent sur le sable. L'air est léger, les vagues se succèdent et meurent, moussantes, sur la grève rose. A main droite, la forêt des buildings, les tours des grands hôtels de Tel-Aviv, fichées au long de l'immense plage. Les matelas verts des transats sont alignés, comme à la parade, des baigneurs s'avancent dans les flots Véronèse. Comme tous les amoureux, la fille aux cheveux rouges et le garçon aux cheveux noirs sont seuls au monde.

— Sarah, je... Je vais quitter Israël. Je veux être médecin, je pars étudier à Paris...

Elle est stupéfaite.

— Tu fuis ! Tu fuis, c'est ça ! Tu me laisses, tu ne veux pas être là quand je tomberai amoureuse d'un autre, tu ne veux pas être là quand je lui dirai oui...

Elle est furieuse, Schlomo est meurtri. Il s'était

préparé à cette colère, elle n'a pas tort, il fuit, pour son bonheur futur. Sarah épousera un blanc, un juif orthodoxe, choisi par M. Singer, son père. Elle sera heureuse.

Sarah flanche. Elle ne peut pas croire à cette séparation. Six ans d'études, six ans d'absence....

— Je ne t'attendrai pas !

Les Harrari, silencieux, sont réunis au complet. Papy regarde le bout de ses souliers tandis que Yoram traverse le salon. Un lion en cage, il va et vient, ivre de rage.

— Personne ! Jamais personne n'a manqué à son devoir dans cette famille. Personne, tu piges ? T'es trop maigre, tu t'es fait réformer à cause de ça ? T'es trop lâche, oui ! Nous avons tous fait l'armée avant de commencer nos études, comme les plus humbles de ce pays. Israël t'a sauvé la vie, tu dois lui rendre quelque chose, Schlomo. Ici, pas à Paris !

— Je ne veux tuer personne. Pas une raison au monde ne m'y contraindra !

Yoram se tourne vers Yael, Tali, Dany, son vieux.

— Pourquoi ne m'avez-vous rien dit, vous autres ?

— Nous redoutions ta colère, Yoram, dit Schlomo. Mais tu as tort : je ne suis pas un lâche, je servirai mon pays autrement.

— Tiens ! Comment ça ?

— Autrement, avec les mots !
— C'est ça, bien sûr ! Encore un ministre...
Yael sort de ses gonds. Elle se porte au secours de son fils :
— Il ne mourra pas ! Il a assez vu la mort...
— Mais Yael, c'est le pays qui va mourir !
— Yoram, réfléchis un peu : tu dois protéger ta famille, tes gosses !
— Ma famille, ce sont des amis, des parents, d'autres familles, ceux qui ont fui les vents mauvais, ceux qui ont trouvé la chaleur, un toit sur cette terre ! Et voilà que ma maison se fait branlante. C'est de notre faute, Yael ! Voilà ce que je crois, nous avons échoué, j'ai échoué, ça te va ?
Intrigué par la robe de Yael, une bonne aubaine, Yoram saute du coq-à-l'âne :
— C'est quoi, ça, tu as acheté une nouvelle robe ?
Yael, peinée :
— Oui, il y a cinq ans... Schlomo ira étudier à Paris !

Deviens

19

Le second exil

Les Harrari sont assemblés au pied de l'immeuble, mais ce matin-là, aucun cri de joie, ni chant. Schlomo, malheureux, se remémore le jour de son arrivée, quand grand-père, Tali et Dany, ceux qui remplirent son existence, l'accueillaient, serrés les uns contre les autres, sur le balcon.

Le taxi enfourne ses valises et son sac de matelot dans le coffre. L'inévitable séparation réveille le chagrin de sa famille, on se serre, on lui confie des tendresses. Yoram prend sa main, il n'admet toujours pas son départ. Le père se reproche cette attitude, mais il est bien trop fier pour lui montrer combien son absence sera cruelle.

Yael chuchote :

— Tu es sûr, tu ne veux pas que je te mène à l'aéroport ?

—Je pars seul, Yael.

Le taxi s'ébranle, et, par la lunette arrière, Schlomo les salue tandis qu'ils rapetissent, là-bas, tout au bout de la ruelle. Une autre image s'impose, il revoit Kidane dans le faisceau des phares d'un camion, autrefois.

L'aérogare. Schlomo attend. Fébrile, il tient le sac à dos sur ses genoux. Il ne parvient pas à effacer les détails qui obsèdent le voyageur en partance : ses bagages sont enregistrés, il a glissé sa carte d'embarquement dans la poche de son veston, il tient son passeport dans une main. Non, il n'oublie rien. Il se répète l'heure du vol pour Paris, le numéro de la porte d'embarquement. Il patiente, absent, l'esprit occupé par les petits riens. Il doit encore subir le contrôle de la douane, non sans angoisse. Le personnel de sécurité lui posera des questions, ils se relaieront pour le piéger... Ne serait-il pas un terroriste ? Il craint de perdre la tête, il n'est qu'un faux juif, un menteur.

C'est la première fois que Schlomo quitte le pays, la deuxième qu'il prend l'avion.

Soudain, il sursaute :

— Il fallait que je vienne. Je te demande pardon, Schlomo...

Yael s'assied, elle prend sa main dans la sienne :

—Je dois te confier un secret avant que tu ne t'envoles. Elle a du mal à parler... Tu te souviens, ton poing dans le mien, serré ?

Mère et fils ont entrecroisé leurs doigts comme le font souvent les amoureux.

— Mon Dieu, j'ai tellement eu peur que tu n'ouvres jamais ton cœur, que tu restes silencieux, meurtri à jamais. Il m'a fallu longtemps pour comprendre pourquoi tu évitais les bandes blanches des passages cloutés. Tu ne voulais pas mélanger noir et blanc comme nos doigts entrecroisés. Puis tu t'es ouvert. Un peu... Un sourire l'éclaire, puis elle reprend : Schlomo, je voulais te dire... Tu sais... La vérité, c'est... au début, je ne voulais pas de toi. Je ne voulais pas t'adopter. Pas toi, Schlomo, mais un enfant en général. J'étais contre. Très ! J'avais peur pour Dany et Tali, pour la famille. Yoram était pour. Un vrai bulldozer ! Il te voulait absolument, comme s'il te connaissait déjà. Tous les jours pendant deux mois, tu m'entends, il essayait de m'avoir à l'usure : « Yael, tu as vu le nombre d'orphelins falashas ? On a le choix entre les adopter tous ou un au moins ! » Tous les jours, un vrai travail de sape. Et moi je disais non, lionne, déterminée à défendre ma famille. Yoram a gagné. Je ne le regrette pas, pas une seule seconde. Si nous formons une famille, si nous nous aimons tant, Schlomo, nous le devons à sa persévérance, à la foi de Yoram, pas à la mienne... C'est grâce à lui que j'ai tant découvert, grâce à toi, mon amour. Yoram s'est battu, il a mérité d'être ton père.

Ils sont là tous les deux, gorge serrée. Instants de réconfort, d'alliance et de grâce.

Une voix appelle les passagers du vol pour Paris-Charles-de-Gaulle.

Les mots de Yael se bousculent :

— Ton père est un être sublime. Vos conflits me... Ne lui en veux pas pour l'argent, il ne sait plus comment faire. Quand il s'est séparé de Murad, une partie de lui s'est abîmée. La société est en faillite. Yoram cherche un boulot. A cinquante ans... Je sais ce que tu penses de lui, amour. Il gueule, il est autoritaire, mais il est fragile. Il craint de ne pas assumer la charge de la famille, il doute de son rôle de mari et d'amant. Il a peur pour nous. Tu sais, j'ai trouvé un job d'assistante de direction, un supermarché, mes notions de droit m'ont aidée. Ne t'inquiète pas, mon fils, on se débrouillera, on t'aidera à Paris. La semaine dernière, papy a voulu disperser ses livres rares, les brochures de ses amis poètes surréalistes d'Alexandrie, mais Yoram ne l'a pas accepté ! Va, mon chéri. Tu réussiras, mon médecin !

Ils s'embrassent. Schlomo la serre dans ses bras, puis il s'éloigne, son petit sac à l'épaule. Il tend son passeport au douanier, Yael l'observe, accoudée à une rambarde. Il grimpe lentement avec l'escalier roulant. Yael lève la main, elle n'a plus rien à lui offrir, sinon un dernier sourire. Il a déjà disparu...

Il en va de quelques vies comme de ces films qui défilent en accéléré. Que sait-on de la somme des douleurs, de l'ennui, des frustrations qu'éprouvent les exilés, les aventuriers modernes en quête de travail, les étudiants, les stagiaires du Sud qui vivent dans le besoin le plus souvent, de si longues années dans les mégapoles étrangères de l'hémisphère Nord ? Qui sait pourquoi tant abandonnent, mais pourquoi tant d'autres l'emportent sur l'adversité et les douleurs ?

La conjuration des Harrari, du Qès Amhra, les amis Médecins du monde du docteur Buchman aidèrent le garçon. Schlomo surmonta ses doutes, il eut raison de ses chagrins, du désespoir qui fauche les exilés du deuxième monde, tant ils sont nombreux à résister à la solitude dans Paris.

Schlomo disposa d'une chambre universitaire, boulevard Jourdan. Un havre pour démarrer, découvrir la capitale, s'installer grâce à l'accueil des associations, au réseau des juifs laïcs de France qui connaissaient tous les détails de la discrète aventure des héros noirs de « l'Opération Moïse ».

Schlomo Harrari fut bientôt considéré comme un étudiant brillant par ses maîtres de l'Ecole de médecine. La hargne qu'il manifesta autrefois, enfant de la *boarding school*, se réveilla. Elle l'aida à assimiler des cours difficiles dans cette langue qu'il parlait à la perfection, mais qu'il savait moins écrire. Il apprit, des dictionnaires à portée de main. Il apprit beaucoup, des amphithéâtres aux petits boulots de nuit dans les services d'urgence de la Pitié-Salpêtrière. Il découvrit, il se mesura à tant d'êtres différents les uns des autres. Mais Israël, sa famille, les siens lui manquaient cruellement. Il se sentait deux fois étranger, décalé, surnuméraire. Il se sentait exclu, alors qu'il s'excluait lui-même. Ses condisciples, des enfants gâtés, lui paraissaient puérils. Il avait tort, sans doute. Les autres n'avaient vécu ni la famine, ni la perte des leurs, ni la guerre, mais alors, comment composer avec la culpabilité du survivant obsédé par l'indicible ?

Ces années de médecine parisiennes furent des années de solitude pour Schlomo.

Il aimait les quais de Seine, la nuit, le pont Alexandre-III, les Invalides dorés, la tour Eiffel féerique. Paris lui apparaissait merveilleux et obscène. Le débordement de beautés l'exaltait, mais tant de richesses et d'histoire le plongeaient dans une tristesse sans fond, lui qui était héritier de la famine et de ses désolations. Il s'en voulait, mais ces pensées demeuraient les plus fortes. Puis vint un temps où ses pas le conduisaient le plus souvent entre Nation et République. Il aima Belleville, les ruelles malaisées, les petits bistrots, les marchés accueillants à l'étranger. A Paris, il apprit les histoires des peuples nègres, il devint un habitué des boutiques à téléphone longue distance, aussi nombreuses que les champignons entre Ménilmontant et Place-des-Fêtes.

Comme ses frères du Sud, il criait dans le combiné téléphonique. Entendre son grand-père, Yael, son frère et sa sœur, les conseils de Yoram le réjouissait : « Ça va, mon fils, ça va ! Ne t'inquiète de rien, un juif recommence tout à zéro, et jamais il ne meurt ! »

Parfois, ses pensées vaguaient lors des séminaires, à la fac. Son esprit battait la campagne, les mots de Sarah au téléphone l'obsédaient. Il se sentait hors champ, il découvrait combien la mémoire du son des voix aimées était fragile, combien elles s'altéraient avec les jours qui passaient. Et le timbre de Sarah, ses historiettes...

— Ce type est grand, 1m86. Il est tout blond, il finit sa quatrième année de droit. Il ne me lâche pas d'une semelle. Ça te fait chier que je te dise tout ça, Schlomo ? Je te manque ? Je me moque de toi, Schlomo : ce type, je l'ai largué. Il était con comme un balai, et en fait de droit fiscal, il était surtout surfeur. Que le fric pour lui. Je suis contente d'être à l'armée. Mon lieutenant est un mec formidable. Il m'a invitée chez ses parents pour le prochain shabbat...

D'autres voix entendues, glanées au restaurant universitaire, en bibliothèque, dans les couloirs de l'université, s'entrechoquaient : « Tu es juif ? Un noir ? » ; « Vous, les Israéliens, vous êtes des fascistes. Comment, après la Shoah, pouvez-vous infliger tant de dureté aux autres ? » ; « Reconnais, mec, tu penses comme un blanc. T'es du côté des Amerlocs, man, pas de l'Afrique ! T'es un sioniste. Les judéo-américains mettent l'Afrique à feu et à genoux ! » ; « C'est où l'Ethiopie ? » ; « Moi aussi je suis déraciné. Je suis natif de Roanne, tu vois où c'est ? Je me suis pris une sacrée claque en arrivant à Paris » ; « On doit lutter pour la liberté, la justice, la démocratie. Viens à la manif avec nous ! C'est ça notre combat pour la Palestine » ; « T'es juif de religion ? » ; « Et tes parents, ils sont où ? » ; « Reconnais que dans le cas précis, ton pays est l'agresseur, le colonisateur » ; « Tu te sens quoi : éthiopien, israélien, juif, tunisien ? » ; « T'as pas les traits négroïdes, tu as le nez fin. Ça t'ennuie que je te dise ça ? » ; « Tu resteras en France quand tu seras toubib ? » ; « La terre d'Israël est la nôtre. On ne doit pas la rendre ! » ; « D'où tu tiens ton accent du Sentier ? T'es ashkénaze ou séfarade ? »

On le jugeait sans cesse, on le questionnait, on l'interpellait dans la confusion, sans l'écouter vraiment. Alors, Schlomo s'enfermait en lui-même, les mots glissaient, ils ne le concernaient pas. Au troquet, après les cours, dans la compagnie de quelques étudiants amis, Schlomo était le plus souvent l'oublié, en bout de table derrière un nuage de fumée de tabac. Le mot « liberté » revenait sans cesse dans les conversations. Il allait aux manifestations par amitié pour quelques condisciples. Dans son élan de révolte, la foule chantait *L'Internationale*, alors que peu de manifestants avaient traversé la moindre mer, montagne ou océan pour connaître les malheurs des autres.

Incapable de draguer, il ne dansait jamais. Dans les fêtes, il s'immisçait dans des conversations qu'il abandonnait bientôt, car le mot vérité employé à tout-va le blessait. Il s'en allait, il rentrait à pied.

Il aimait Paris, mais Paris le heurtait. Il trouvait la capitale rude, cernée de murailles. « C'est peut-être ça, la civilisation », pensait-il.

Les années s'écoulaient. Chaque été, Schlomo rentrait à Tel-Aviv. Mais il ne se retrouvait pas dans cet entre-deux. De retour au pays, chez lui, il se découvrait toujours étranger... Mais où donc était sa terre? En vacances, ses propres opinions s'opposaient souvent à celles de Murad. Chaque année, Sarah avait changé de look à nouveau, de teinte de cheveux. Très comme il faut parfois, elle devenait sportive l'année suivante, sophistiquée ou punk! Il pensait qu'elle était mal dans sa peau. Elle lui racontait ses amourettes, ses passions des derniers trimestres :

— Mais si, tu le connais : il est journaliste. Celui-là, c'est un musicien. Abel est prof de linguistique à l'université, Gaby est ailier dans l'équipe nationale de basket. Il est extraordinaire, il fait l'amour comme... Non ! Je ne le crois pas : tu n'as jamais fumé de pétard ?

Rue des Rosiers, il goûta au *bagel,* ce pain légèrement sucré, rond, tressé, saupoudré de sésame, ou bien de pavot, les sardines à l'huile, le foie haché, le *pastrami* et la carpe farcie... Il s'amusait à se prendre pour un ashkénaze. Il tentait d'entrer dans les méandres culturels des origines du père de Sarah et de la famille Singer. Il lut tous les livres à propos de la Shoah, il découvrit l'histoire des pogroms, et secrètement lui vint le goût de fréquenter les juifs d'Europe de l'Est. Il appelait souvent Sarah. Il lui faisait partager ses découvertes. L'adorable rousse ne connaissait pas la moitié de ses fables :

— Les pogroms, qu'est-ce que tu veux que ça me fasse : c'est du passé.

C'est dans la rue des Rosiers qu'un petit poste de radio posé sur la rambarde d'une fenêtre ouverte lui apprit l'assassinat du Premier ministre Yitzhak Rabin. Il se précipita dans la première cabine venue. Il pleurait. A l'autre bout, au pays, les siens sanglotaient. Yael répétait, machinale : « Pourquoi, mon amour ? Pourquoi l'ont-ils tué ? »

Le matin de la cérémonie, quand Schlomo reçut son diplôme de médecin, il fêtait ses vingt-cinq ans. Deux jours plus tard, c'était l'anniversaire de Kidane, sa mère. Elle était vivante, il le savait. Elle avait quarante-six ans. Boulevard Saint-Germain, diplôme dans la serviette, Schlomo la priait : « Je suis devenu, maman, je vais rentrer ! »

Quarante-huit heures plus tard, il était à Roissy. Tête levée, il vérifiait une dernière fois le tableau des départs, quand le panneau « Khartoum, 23h20 » lui sauta aux yeux. Son téléphone portable sonnait :

— Schlomo, c'est toi ? Où es-tu ?

— A l'aéroport. J'ai reçu mon diplôme, Qès. Je suis toubib !

— A l'aéroport Charles-de-Gaulle ? Ne rentre pas, Schlomo ! Il y a un grand procès en ce moment. On juge des chrétiens qui se sont fait passer pour juifs éthiopiens. Les journaux, les télés n'arrêtent pas : ils veulent expulser les menteurs. On juge même des Russes non juifs, reste à Paris ! Ne reviens pas encore !

Quoi qu'il se passe, son histoire le rattrapait...

— Qès, où est donc mon chez-moi ?

Avant de raccrocher, Schlomo observe le tableau des départs. Le vol pour Khartoum a progressé sur l'échelle informatisée...

20

La voix du sang

Médecin militaire de Tsahal, l'armée d'Israël, Schlomo accompagne des jeunes soldats dans les ruelles tortueuses, quelque part dans les territoires. La ville est saccagée. C'est l'enfer sur la Terre, on tire de partout. Il porte un pistolet à la ceinture, mais il ne l'utilisera pas. Ce ne sont que cris, hurlements, lambeaux d'hébreu et d'arabe mêlés. C'est un étrange conflit. La deuxième Intifada. Sans commencement ni fin, où deux jeunesses s'entre-tuent.

Un cri de gosse déchirant s'élève du chaos. Le médecin-soldat aperçoit un enfant palestinien, huit ans pas plus, blessé, accroupi à l'abri d'un muret. Il geint. Schlomo crapahute, il progresse, courbé sous un échange de tirs nourris. Il saisit comme il le peut ce corps frêle. Le petit est terrorisé. Il le tire et l'emporte vers une cour abritée. Un répit. Schlomo pique, il doit juguler l'hémorragie, il attrape des pansements dans sa musette ventrale. Il extrait la balle fichée dans le gras de la cuisse. Il crie :

— Ne meurs pas, bordel, ne meurs pas ! Pas toi, pas toi !

La gaze rougit aussitôt. Schlomo prépare alors une deuxième injection, quand un type, surgi de nulle part, le braque du fût de son arme. Le père du gamin éructe, il est hors de lui, le doigt sur la gâchette. Il arrache l'enfant sans quitter Schlomo des yeux, il hurle, en hébreu :

— Le touche pas, youpin, vous finirez à la mer, dans l'enfer. Le touche pas !

Schlomo lève les bras au-dessus de sa tête, l'homme prend l'enfant, et il fuit, éperdu. Le médecin, désemparé, se replie à l'opposé de cet infernal vacarme, amplifié par l'écho des passages étroits entre les masures. Schlomo rejoint son groupe commando. Son lieutenant est fou de rage, il aboie :

— Connard, t'as pas à les soigner ! Nos hommes d'abord ! T'as compris, *couchi* ?

Schlomo n'a pas le temps de répondre, une balle le frappe, au dos. Ses yeux, grands ouverts, sont étonnés, puis une paix étrange s'imprime sur ses traits. Il s'affaisse. Pris au dépourvu, le lieutenant n'a pas même le réflexe de l'aider. Schlomo chuchote « non, je ne comprends pas, je ne comprends pas... ». Il perd connaissance.

Une chambre à l'hôpital de Jérusalem. Par la fenêtre, au travers du grillage et des barbelés qui protègent l'enceinte de l'établissement militaire, on aperçoit l'or aveuglant du bulbe de la Grande Mosquée, le Mur des Lamentations. Les Harrari sont réunis au chevet de leur blessé.

— T'en as eu de la chance... Oh mon Dieu !

Dans les bras de Dany, Yael, rongée d'inquiétude, a tout d'une petite bonne femme. Son garçon la tranquillise, sans ménagement :

— Tu chiales depuis trois jours, maman. Il est vivant !

— La balle a pénétré le gras, elle n'a rencontré aucun organe vital. Putain, fait Yoram, t'as dû marcher dans une sacrée grosse merde à ta naissance, Schlomo. T'arrête pas de survivre !

— La merde de Mandala, lâche Schlomo, tout sourire.

Au-dessus des épaules réunies autour du lit, Sarah lui adresse un geste. Elle ne parvient pas à l'approcher, tant le grand-père et mamy Suzy l'accaparent. Des larmes perlent à ses cils, alors elle fait le pitre, elle grimace. La chambre n'est qu'un brouhaha. Assise tout près de lui, Tali se penche vers l'oreiller :

— Je veux un enfant, Schlomo, murmure-t-elle.

— T'es folle ! Avec qui ?

— M'en fous, je veux une famille, lui chuchote-t-elle. J'ai réussi l'examen du Technion. Dans un mois, je suis ingénieur informaticien. Ne dis rien à papa, il croit encore que j'étudie la philo.

Yael élève la voix. Elle crie pour imposer silence à la smala :

— Bien, je peux rester un moment seule avec mon garçon ? Vous entendez...

Yoram emmène tout le monde dans le couloir, d'autorité :

— Allez, *yalla, yalla !*

Seule enfin, elle entreprend Schlomo. Le ton est ferme :

— Maintenant, ça suffit, Schlomo. Tu vas dire à Sarah que tu l'aimes, elle attend ça depuis dix ans. Basta ! Sinon c'est moi qui te tue !

Schlomo n'a pas le temps de répondre, Yael a déjà ouvert la porte du couloir :

— Sarah ! Schlomo veut te parler...

« Vive Sarah ! Vive notre Polonaise ! » Un mariage tunisien est toujours un événement. Les mariés sont soulevés dans leurs chaises, balancés, secoués par les bras puissants au-dessus des têtes de la noce endiablée.

« Vive notre belle Polonaise ! »

Yoram, beau comme un as, frappe dans ses mains, les femmes, toutes d'élégance, crient des youyous, tandis que les airs défilent, des musiques aussi puissantes les unes que les autres. Les hommes endimanchés ont tombé la veste, les épouses se sont lancées dans des danses orientales qui feraient pâlir les plus fervents religieux de la Ville sainte. On rit, on boit, on tourne. Dès qu'on la lui laisse un peu, Schlomo, costume sombre, enlace une Sarah superbe dans son fourreau champagne, une réplique du rôle de Marilyn dans *Certains l'aiment chaud*.

Par contre, dans la salle de bal de cet établissement chic, aucune trace d'un seul des membres du clan Singer. Ni le père, ni la mère, aucun frère, aucun des cousins de Sarah. Seule Einat, sa copine, l'accompagne pour ce grand jour. Elle a un peu bu, et ce soir, elle s'est juré de rencontrer l'élu de son cœur.

Les mariés dansent, défilent sous l'arceau des bras tendus, suivis aussitôt par les couples enlacés qui leur emboîtent le pas. La joie. Des chants yiddish honorent la mariée, ils serrent les pas de la rousse qui entraîne ses invités dans la *hora,* une ronde énergique.

A la manière de Schlomo qui fit rire l'assemblée lors de sa bar-mitsva, en relatant l'extraordinaire épopée de Suzy et de la smala de Tunis à Tel-Aviv via Maubeuge, Dany, qui est comédien désormais, se lance dans un monologue à la fois drôle et poignant. Maquillé de noir de la tête jusqu'au bout des doigts, il raconte à la première personne l'histoire tragi-comique d'un Falasha sorti d'Ethiopie, adopté par une famille de blancs israéliens qui ne comprennent rien à sa façon d'être... L'artifice est parfait : Dany, le petit

Chouchou d'hier, imite à merveille Schlomo, son frère noir.

— Bon, comme je ne veux pas vous arracher plus longtemps à votre ennui – le mariage est nul, hein Yoram ? – pour finir, conclut-il, ce petit mot pour Chouchou. Dany regarde Schlomo droit dans les yeux. Tu as toujours eu peur que je prenne ta place, ta maman, ton tabouret de la cuisine, que tu ne vendrais même pas vingt shekels aux puces de Yaffo. Chouchou, je sais que tu m'aimes, je l'ai découvert le premier jour, quand tu m'as balancé : « Beh quoi, je ne lui ai rien demandé sur ses parents qui sont morts ! » Ce jour-là, j'ai su que j'avais trouvé un frère enfin. Je t'aime, Chouchou... »

Les deux garçons s'observent dans le profond silence qui s'est répandu sur la salle de bal. Yael est serrée contre son mari, Yoram, Tali retient ses larmes. Schlomo grimpe sur l'estrade, et prend Dany à bras-le-corps. Les convives battent des mains, les youyous des femmes fusent, les mamies sortent les mouchoirs.

Suzy, perplexe, questionne papy :

—J'ai pas compris, pourquoi un tel enthousiasme, c'est quoi le scoop ?

Plus tard dans la soirée...

Pour rire, Tali entraîne Schlomo dans une danse orientale.

— Schlomo, c'est grand. Je t'aime ! Et je te confie mon secret, en cadeau : je suis enceinte !

— *Mazel tov* ! Mais de qui...

— D'un dinosaure, banane ! D'un homme, enfin !

— Tu l'aimes ?

— Le bébé ? Je l'adore déjà. Donne-moi ta main, touche...

Au fond, Schlomo est catastrophé, mais il danse.

Papy s'approche de Sarah. Elle est assise, à l'écart, dans un coin.

— Je peux...

Il s'assoit.

— Tu es triste, Sarah, je le vois. Ton père t'a reniée, en bon croyant il a déchiré la manche de sa veste, déclamant que pour lui tu es morte... Ben dis donc, ma Sarah, tu es bien belle pour une morte, ça donne de l'espoir à des vieux comme moi. Qu'est-ce que ça sera quand tu auras ressuscité ! Elle sourit. Ah, revoilà le soleil sur tes lèvres... Sarah, je respecte ton père comme tu le respectes, toi, poursuit papy, mais laisse la joie t'emplir, tu aimes mon Schlomo, et lui t'adore. Tu verras, ma fille, ton père reviendra quand ton ventre s'arrondira, et en courant, surtout si tu portes un fils... Ta mère recoudra la manche de sa veste, et tout sera oublié.

Schlomo attrape Sarah, il accuse son grand-père de vouloir la lui voler le jour de ses noces. Ils dansent un flamenco au centre de la piste, les convives claquent des mains, ils soutiennent le pas des deux mariés changés en gitans. Schlomo et Sarah tournent ensemble, ils se défient, ils sont l'amour, le désir et la passion.

Sans se soucier des regards, Schlomo embrasse Sarah passionnément. Ils sont fous l'un de l'autre, ils se jurent des « je t'aime » en français, en anglais, en polonais, en hébreu, en amharique et même...

— Je n'ai pas compris ce mot. C'est quelle langue ? interroge Sarah.

— C'est « je t'aime » en guèze !

— Guèze toi-même !

— Tu te moques de la langue de mes ancêtres, espèce de mazurka à la carpe farcie ?

Ils rient de bon cœur.

De loin, papy les observe. Il ne perd rien de cette passion.

Plus tard, tandis que Schlomo entame une rafale de toasts avec ses copains, Itaï semble céder aux assauts d'Einat. Le Qès tire le petit-fils par la chemise. Le vieil homme est très sérieux :

— Schlomo, tu dois parler à Sarah cette nuit !

— Pas ce soir, Qès, j'ai peur de la perdre... Plus tard. Je la retrouve à peine, plus tard...

— Non. Tu lui dis. Cette nuit !

Les mariés sont enfin seuls.

Ils sont installés dans une suite nuptiale du Crown Plaza, mais peu importe le décor, Sarah a basculé son Peau-Rouge sur le grand lit. La chambre somptueuse est suspendue dans les cieux illuminés de Tel-Aviv. Schlomo résiste un peu, mais Sarah, furieuse, commence à déshabiller son amant. Elle arrache deux boutons de sa chemise.

— Arrête, Sarah, arrête... Je dois te dire...

— Tu m'arrêteras pas : dix ans, Schlomo, dix ans ! Tu vas voir, tu vas voir, petit con...

— Je suis sérieux, Sarah, arrête ! Je dois t'avouer un secret...

Le ton de Schlomo la surprend.

— OK. Tu veux trahir tes secrets ? Alors, c'est à moi, la première : je n'ai pas couché avec les neuf dixièmes des mecs dont je t'ai parlé, c'était pour te faire chier. J'ai couché avec deux... En fait, un. Juste après ton départ pour Paris. Je voulais me prouver que je ne t'aimais pas autant. Ça n'a pas réussi. Alors, c'est quoi ce secret ? Tu as sauté toutes les Parisiennes, tour Eiffel comprise : « Oui, oui, Schlomo, oui, oui... » ?

Les traits de Schlomo l'inquiètent un peu. Il parle enfin :

— Tu ne me quitteras jamais, quoi qu'il arrive ?

Sarah s'est calmée, l'aveu de Schlomo semble grave. Elle se relève, elle reprend distance.

— C'est une blague ? Je t'écoute...

— Ce n'est pas... Ne t'inquiète pas, ce n'est pas si... Je devais te le dire : ... c'est moi qui ai écrit toutes les lettres d'Itaï. Quand, il y a... j'avais treize ans...

— C'est tout ?

Schlomo opine. Sarah hésite, ses doutes s'envolent...

— Je le savais, ducon ! Je suis d'abord tombée amoureuse de tes lettres... Pas de toi !

Leur premier appartement n'a pas le lustre de la suite du Crown, c'est un deux-pièces agréable, au rez-de-chaussée d'une maisonnette ancienne de Neve Tzedek, le quartier des ruelles, près de la plage.

Privée du soutien des Singer, Sarah partage son temps entre la faculté et des petits boulots de restaurant. Entre des remplacements pour trois cliniques privées de Tel-Aviv, Schlomo caresse des projets dont il ne dit rien à sa femme. Cette existence entre-deux, cette vacuité après Paris, les années universitaires, l'armée, une blessure, lui convient.

Le téléphone sonne. C'est Tali.

— C'est fait. Je crée ma boîte informatique, avec papa. Il a dit oui. Une start-up, la banque est OK. Tsahal paraphe notre contrat de recherche, on a déjà les bureaux, faut que tu viennes voir.

— *Mazel Tov !* Et bébé ?

— Magnifique. Figure-toi que son con de père ne m'a pas appelée une seule fois...

— Son « con de père » n'a pas eu grand-chose à dire. Tu ne lui as pas laissé le choix, tu t'es fait un bébé toute seule, Tali...

Sarah entre dans l'appartement. Elle lui fait signe de vite raccrocher.

— Comme ça je ne lui ai pas laissé le choix? Il...

— C'est Tali, souffle Schlomo à Sarah.

Elle s'énerve, impérative :

— Raccroche, merde! Dis-lui qu'elle te rappelle...

— Tali, Tali... Laisse-moi parler... Je dois raccrocher... Oui, je te rappelle plus tard. Je t'embrasse.

— Schlomo, mon test est positif: je suis enceinte! Enceinte...

Sarah se précipite dans ses bras.

Schlomo, l'échine courbée, n'en mène pas large dans la chambre à coucher. Sarah s'est écartée de lui. Elle essuie des larmes. Elle se retourne, elle se dresse devant lui, une lionne furieuse.

— Non! Je ne le crois pas! T'as trente secondes pour me dire que tout ça n'est qu'un mensonge...!

Schlomo ne dit rien.

— Bordel, je le savais, je le sentais, c'était trop beau!

Elle explose.

— J'ai coupé tous mes liens familiaux, Schlomo! Pour toi! J'ai quitté ma mère, mon père, mon frère. Tu crois que c'était simple? Pour toi! Ils m'ont tous reniée. Pour toi, bordel! On se connaît depuis dix ans ? Dix ans de mensonges ! Pourquoi tu ne m'as pas fait confiance, je m'en foutais que tu sois juif ou pas, blanc, rouge, noir ou chrétien, c'est toi que j'aimais ! Toi, Schlomo ! Connard !

La porte claque. Sarah est partie. Tout d'un coup, il fait nuit.

Schlomo laisse longtemps résonner le téléphone. Il est trois heures du matin. Yael décroche, encore assoupie :

— Allô, oui ? Qui c'est ?

— Yael ? C'est Schlomo. Je peux te voir...

— Maintenant ?

— Oui, il le faut...

Ils se sont donné rendez-vous à la promenade de la plage. Il est 4 heures du matin. Des fêtards, des jeunes gens en groupes passent d'une boîte de nuit à l'autre, bruyants. La vie nocturne de Tel-Aviv ne fait jamais relâche.

Yael vient d'entendre le récit de Schlomo. Elle ramasse ses cheveux et les pince à l'aide d'une barrette. Elle est désemparée :

— Tu dois te confier aux autres, Schlomo. A Yoram, aux grands-parents, aux enfants... Tu dois les affronter. Ce sont les tiens.

Schlomo se tait.

Un jeune s'approche, un peu gris, et leur demande une cigarette.

—Je ne fume pas, répond Schlomo.

Yael dit qu'elle n'a pas de cigarette sur elle.

Yael a convié la famille au prochain shabbat. Elle a juré à son fils de ne rien dire de son aveu avant samedi midi. C'est à lui de lever le secret auprès des siens, ceux qui l'ont adopté comme fils, petit-fils et frère.

Depuis la nuit de mardi, Schlomo a vécu des jours d'enfer. Certes, Yael a raison, il partage son attitude, mais il aurait aimé qu'elle lui serve d'intermédiaire auprès des siens. Toute la semaine, il a tenté en vain de joindre Sarah, plusieurs fois par jour. C'est une obsession. Il croit savoir qu'elle s'est réfugiée chez son amie Einat, son genre n'est pas d'aller trouver refuge chez ses parents. Comment vivre sans elle ? Elle porte leur enfant maintenant, et si la notion de paternité effleure à peine Schlomo, il tourne en rond, lion en cage. Il s'est fait porter malade dans les cliniques où il effectue des gardes. Il espère que Tali, sa sœur, l'appelle, elle est son alliée, mais le téléphone reste muet. Il a pensé s'enfuir et il a renoncé à joindre le Qès.

Le jour venu, le samedi matin à 11 heures, il quitte son petit deux-pièces. Le rendez-vous familial a été fixé à midi. Pour rejoindre l'appartement des parents depuis Neve Tzedek, il faut compter une bonne vingtaine de minutes à pied. Il renonce à emprunter l'itinéraire le plus direct, il a besoin de marcher. Au lieu d'atteindre Alenby au plus vite, puis l'avenue Rothschild, avant de tourner à gauche dans Shenkin, puis à droite, dans Echad Ha'am, et à gauche encore, Rachi, il fait un long détour par la plage, jusqu'au vieux port, en revenant au sud, par Dizengoff.

Une demi-heure jusqu'à Ha'Melech George, qu'il prend sur la droite, et Rachi, à gauche. Il traîne, il fait tout pour arriver en retard, ou bien ne pas arriver du tout... Il espère que Yael sera contrainte de leur expliquer le mobile de cette rencontre familiale : « Le terrain sera préparé », pense-t-il alors qu'il déambule.

Schlomo est devant la porte de l'appartement à midi moins le quart. Grand-père est déjà là. Il est à la cuisine avec Yael, tandis que Yoram feuillette son journal au salon.

Papy accueille son petit-fils :

— Alors, on me dit que tu as une nouvelle à nous annoncer ?

Schlomo aimerait se confier à lui en préalable, mais le vieil homme l'en empêche :

— Ne me dis rien. Attendons les autres...

Le reste de la famille se rassemble peu à peu. Yael a même convié le Qès. Tali arrive avec une demi-heure de retard. En femme d'affaires, elle veut parler à son père d'un dossier qu'elle vient de traiter en urgence au bureau, malgré shabbat. Yoram l'en dissuade :

— Pas maintenant, Tali. Schlomo doit nous annoncer quelque chose d'important.

Il est assis, les mains prises entre ses cuisses, il a peur.

D'un ton ferme, Yoram appelle Yael et Suzy qui chuchotent à la cuisine. Le silence se fait.

Schlomo s'apprête à parler.

Tout à coup, Suzy déboule au salon avec un *boulou*, le gâteau sec des Tunisiens.

Elle s'approche de Schlomo, elle l'embrasse, et pour briser la tension, elle s'adresse aux siens avant même qu'il n'ait eu le temps de se confesser :

— Je vous l'avais bien dit qu'il était noir pâle le premier jour ! Cessez de le torturer : il n'est pas juif, et alors ? Depuis toute la semaine, il est interdit de lui téléphoner, de répondre s'il appelle. Il ne faut pas le croiser dans la rue... Ça suffit ! On l'a assez martyrisé ce petit. Yael, ma fille, je ne te reconnais pas ! Si ça continue, je te renie, je déchire la première veste de tailleur qui me tombe sous la main ! Allez, embrassez-le, son mensonge n'est pas bien gros... Il est vivant !

Tout le monde rit et pleure. On serre Schlomo, tous confient combien ils s'aiment, combien ils sont heureux ensemble.

Les Harrari déjeunent sur le pouce, puis le tribunal égypto-tunisien au grand complet émigre vers l'entrée de Yaffo, au pied de la grande pendule près de la mosquée. C'est le meilleur glacier de la ville.

Une femme appuie sur la sonnette de l'appartement d'un immeuble neuf, au nord de Tel-Aviv, à Ramat-Aviv, le quartier des yuppies. La porte s'entrouvre. Sarah s'est réfugiée chez son amie Einat. Elle est à peine réveillée, elle a enfilé un tee-shirt et un pantalon de jogging en hâte. Sarah est stupéfaite quand elle découvre Yael dans l'entrebâillement de la porte, sur le palier.

— Shalom, Sarah. Je peux entrer ?

La cinquantaine, elle est magnifique, malgré les fines ridules sur son visage si doux.

Les deux femmes sont assises dans la chambre d'ami, où le vélo d'Einat, des cartons en vrac, les affaires de Sarah sont entreposés comme dans un débarras. Yael prend la main de sa belle-fille.

— Je ne te demande pas de lui pardonner, Sarah, je comprends ta colère. Essaye seulement d'imaginer le traumatisme de Schlomo : une mère désespérée se résout à perdre son fils unique, à ne jamais le revoir, pour le sauver. Un homme, amoureux, déchiré, n'ose avouer son lourd secret à la femme qu'il adore, par crainte de la perdre... Tout ça n'est que de l'amour, Sarah. Je t'en supplie, ne le laisse pas tomber...

Derrière le carreau sale de la porte d'entrée, sur la cour, Schlomo aperçoit le visage de sa bien-aimée. Sarah est là, elle est de retour. Il ouvre, elle dépose dans l'entrée son énorme sac à dos de montagne, la valise. Schlomo la prend contre lui. Digne, elle retient ses sentiments. Elle se détache du garçon, elle observe son chez-soi d'un regard circulaire, puis elle fixe son homme.

— C'est fou, le nombre de mères qui t'adorent...

Elle voudrait pleurer, mais elle se l'interdit. Elle se rapproche de lui, le regard brillant, déterminé :

— On n'en parlera jamais plus ! C'est notre secret. Mais Schlomo, tu dois me promettre une chose, une seule...

Epilogue

Le cri

Les portières avant, le capot de la Land-Rover blanche sont peints à l'enseigne du logo de Médecins sans frontières. Le lourd véhicule est immobilisé dans le désert. Le plateau sec est recouvert d'une fine poussière, jaunâtre. Une désolation, sans un arbre, sans le moindre buisson.

Schlomo quitte la cabine du tout-terrain. Il foule le sol de son enfance. Genou en terre, il embrasse la terre stérile. Puis il se redresse, observe l'horizon vide. Un vent sec lui zèbre le visage. Il ferme les yeux. Le retour sur sa terre lui procure des joies et des douleurs.

Installé au volant, dans la cabine, le chauffeur africain n'ose pas interrompre cet instant de grâce.

C'est un camp de réfugiés pris en charge par les volontaires de Médecins sans frontières.

Revêtu d'une saharienne ocre, Schlomo est assailli par une nuée de gamins Il comprend leur désir, tous miment le geste de l'écriture. Ils ont faim, mais ils veulent écrire. Ces gosses l'émeuvent, ils sont siens, même s'ils l'appellent « docteur », comme s'il était un étranger, un blanc.

Quelques jours plus tard, le pédiatre Schlomo Harrari ausculte un bébé mal en point, quand un infirmier accourt à sa rencontre.

Il crie :

— Docteur, docteur, téléphone !

Il saisit le portable satellitaire. Sarah crie, elle ne sait pas qu'il l'entend très bien...

— Peau-Rouge ! Ecoute Peau-Rouge, écoute...

Il quitte la tente médicale, il s'écarte du voile qui claque sous l'effet des bourrasques. Il perçoit la voix gazouillante de son fils : « Paaapa, papaaa... » Un simple mot, magique. Arrivé du bout du monde. Un simple mot, gorgé de sens, qui résonne en lui alors qu'il est planté au milieu d'un mouroir où il combat la mort chaque jour.

Le regard de Schlomo est attiré par un reflet du soleil sur la surface d'une bassine d'aluminium qui dévale dans les sables. Un jouet de fortune pour trois mômes. Son cœur semble s'arrêter... Ce reflet éclaire une forme, une silhouette accroupie, à peine protégée d'un abri de toile. C'est une très vieille femme. Même pudeur, même dignité résolue : Kidane, sa mère !

Dix-sept années lui en ont volé trente au moins. Elle l'observe, elle n'ose l'appeler... Elle détourne son visage, elle le dissimule, elle le recouvre d'un lambeau de voile. Elle veut lui épargner la honte d'être la si pauvre mère d'un si grand médecin. Schlomo écoute encore un peu son fils au téléphone, mais il ne la quitte pas des yeux.

— Sarah, je vais tenir ma promesse. Je te rappelle. Vous me manquez tant...

Il raccroche l'appareil. Il ôte alors ses chaussures. Et il avance, pieds nus dans le sable brûlant. Il s'arrête devant elle. Puis il s'accroupit, s'assied en tailleur. Il la dévisage, longtemps. Elle tente encore de se cacher. Il retire l'étoffe doucement, et leurs yeux se rencontrent.

— Maman, je t'aime...

Les bras de la mère s'ouvrent sur le fils, ses mains s'agrippent à lui.

Alors, un râle s'échappe, s'amplifie, monte. Un cri mêlé de révolte et de bonheur. Un cri terrible, venu des siècles. Un hurlement retenu dix-sept ans au fond de son ventre. Kidane libère enfin ce cri qui un jour a pris la place de son enfant.

TABLE

Cet ouvrage a été imprimé par
Dupli-Print à Domont (95)
pour le compte des Editions Grasset
en novembre 2012

Première édition, dépôt légal : mars 2005
Nouveau tirage, dépôt légal : novembre 2012
N° d'édition : 17477 – N° d'impression : 216136

Imprimé en France

Imprimé en France
FRHW010259191023
36709FR00011B/110